JN028606

ガザとは何か

パレスチナを知るための緊急講義

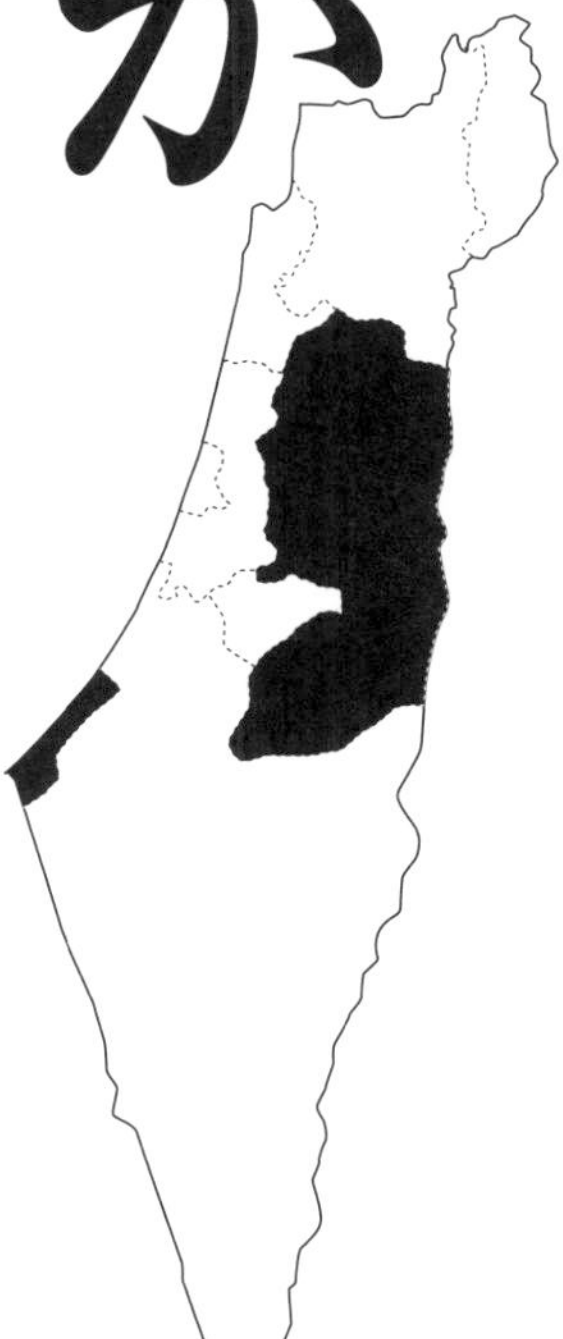

早稲田大学教授
岡 真理

大和書房

はじめに

二〇二三年十月七日の、ハマース主導のガザのパレスチナ人戦闘員による越境奇襲攻撃に対して、イスラエルによる未曾有のジェノサイド攻撃が始まりました。攻撃開始からわずか二週間で、ガザのパレスチナ人の死者は四〇〇〇人を超えました。うち半分近くが子供です。

私たちが生きるこの同じ地上で今、ジェノサイドが進行している。にもかかわらず、主流メディアは連日ガザについて報じながら、その内容は事態の重大さに見合ったものでもなければ、問題の核心を伝えるものでもありませんでした。ガザの住民の七割を占める「難民」がなぜ、どのように難民となったのか。十六年以上にわたる封鎖のもとでガザの住民たちがどのような生を——そして死を——強いられてきたのか。そもそもイスラエルとはいかなる国なのか。問題の構図を正しく理解するための肝心要の部分について、主流メディアは沈黙を続けました（出来事を報道しながら、その報道によってむしろ真実を歪曲、隠蔽するという、エドワード・サイードが「カヴァリング・イスラーム」と呼んで批判した「イスラーム報道」の典型でした）。

こうしたなか、京都市民有志の方々が私を講師に、ガザに関する緊急学習会を企画して下さいました（十月二十日、京都大学）。時同じくして、十月十六日のイスラエル大使館前での抗議行動に参加した早稲田大学ほかの学生さんたちも緊急セミナーを企画、講演する機会を作って下さいました（十月二十三日、早稲田大学）。講演はいずれもオンラインで同時中継され、その後、直ちにネットに公開されました。

大和書房の編集者、出来幸介さんから、この二つの講演内容を書籍化し緊急出版したい旨連絡をいただいたのは、早稲田講演の三日後のことでした。年内の出版を目指し、それからわずか四十日という異例の短期間で本書は制作されました。一刻も早く、より多くの方に知っていただきたかったためです。ガザで今、起きていることがジェノサイドにほかならないこと、この二十一世紀において私たちがこの未曾有のジェノサイド攻撃を許してしまったこと、なぜ、それは起きたのか、何がそれを可能にしてしまったのか……。そして、ジェノサイドをやめろ、やめさせろ、という声を一人でも多くの方が上げ、この現実を変えるために。

本書収録の講演はいずれも、企画から実施まで数日という文字どおり緊急に開催されたものであったため、丁寧に原稿を準備する時間もほとんどないまま講演いたしました。それを緊急に書籍化するにあたり、刊行までの時間も極度に限られるなか、講演の内容を可能な限り加筆修正し、言い間違えや記憶違いなど事実関係の訂正を行い、講演で提示したスライド等も適宜、別のものに差し替えるなどしました。最善の努力をいたしましたが、時間に逼迫するゆえの瑕疵（かし）も多々、見受けられるかもしれません。緊急性に鑑み、ご容赦いただければ幸甚です。第1部と第2部で内容が重複する部分については、問題の根幹を指摘している場合は、敢えてそのままにいたしました。また、その後の事態の展開のなかで新たに確認された事実も数多ありますが、攻撃開始から二週間の時点で開催された講演という本書の成り立ちを踏まえ、講演会開催時に判明していなかった事実を本文に加筆することはしませんでした。

刊行準備を進めるなか、イスラエルによるガザの大量破壊、大量殺戮も猛スピードで進行していきました。攻撃開始から五十三日目の現在、ガザ保健省の発表では、死者数は確認されているだけで一万五〇〇〇人超、うち六一五〇人が子供です。

このような形で講演が書籍化され、より多くの方々に、ガザの悲劇の根源にある真実を知っていただけることは喜ぶべきことですが、それが、現時点で六〇〇〇人以上ものガザの子供たち――封鎖下のガザで生まれ、封鎖下のガザしか知らずに逝った子供たち――の命を代償としていることに、むしろやるせない思いが募ります。

本書は、何人(なんぴと)の上にもこのような悲劇が起きることを人間として許してはならないという怒りを行動に移した市民、学生、教員、ジャーナリスト、編集者のみなさんの連携プレーによって実現しました。京都大学講演を企画、主催して下さった、「緊急学習会 ガザとはなにか 実行委員会」のみなさま、早稲田大学講演を企画、主催して下さった「〈パレスチナ〉を生きる人々を想う学生若者有志の会」のみなさま、これら講演会の開催運営と本書の制作刊行にご協力下さいましたすべてのみなさまに心より感謝申し上げます。そして、本書の緊急出版を企画し、この一カ月、その実現のために尽力して下さいました大和書房編集者の出来幸介さんに心から御礼申し上げます。

本日十一月二十九日現在、ガザでは二十四日に始まった四日間の一時休戦が延長されています。それが恒久的停戦につながるのか、それとも休戦明けにまたイスラエルの無差別爆撃が再開されるのか分かりません。本書が刊行された時、この大量殺戮攻撃が収束を迎えているのか、まだ続いているのか、ガザが、ガザの人々がどうなっているのかも分かりません。でも、一つだけ明らかなことがあります。それは、たとえこのジェノサイド攻撃が終わったとしても、イスラエルによるアパルトヘイトが終わらない限り、ガザや西岸、そしてイスラエルのパレスチナ人は依然、自由を奪われ、人権を奪われ、人間らしく生きる権利を奪われているということ、彼らの闘いは続くということです。

ジェノサイドが進行中の今、「即時停戦」をあらん限りの声で訴えることは絶対に必要です。でも、それだけでは、問題は何も解決しません。この人道に対する罪の責任者が、これまでもずっとそうであったように、戦争犯罪者として処罰されなかったら、同じことが再び繰り返されるでしょう。イスラエルによるこの人道に対する罪、戦争犯罪を正しく処罰し、そして、国際人権団体が「世界の責務」だと訴える、イスラエルのアパルトヘイトに私たち世界市民の手で終止符を打つこと、そのために私たちが今も、そしてこれからも行動すること、そうすることが絶対に必要なのだということを、本書をお読みになられた方にはご理解いただけると思います。

信じましょう。川から海までパレスチナは自由になると。ガザとは、人間の悲惨が凝縮する土地ではなく、私たちが虹色の未来を植える土地なのだと。

十一月二十九日　国際パレスチナ連帯デーに

著者

目次

第2部　ガザ、人間の恥としての

質疑応答

もっと知るためのガイド

パレスチナ問題　関連年表

年	出来事
1894	**フランスでドレフュス事件が起きる**
1896	テオドール・ヘルツル『ユダヤ人国家』を上梓
1897	第一回シオニスト会議がスイスのバーゼルで開催
1914	第一次世界大戦勃発
1917	バルフォア宣言、パレスチナにユダヤ人の民族的郷土建設を承認
1920	第一次世界大戦戦勝国によるサン・レモ会議開催、イギリスのパレスチナ委任統治が決められる（23年、委任統治開始）
1933	ナチス、政権獲得
1936	英国委任統治下のパレスチナでアラブ民衆による反乱
1939	第二次世界大戦勃発。ナチスによるホロコーストが起きる
1945	第二次世界大戦終結
	連合軍占領下でユダヤ人難民問題発生
1947	11月29日、国連総会で**「パレスチナ分割案」**を採択、パレスチナの民族浄化始まる
1948	**「ナクバ」**
	4月、デイル・ヤーシーンの虐殺
	5月、イスラエル建国宣言、イギリスによる委任統治終了
	第一次中東戦争
	12月10日、国連が世界人権宣言採択
	11日、国連総会、決議194号を採択、パレスチナ難民の即時帰還の権利を確認
	国連総会、「ジェノサイド条約」を全会一致で採択
1956	第二次中東戦争
1957	パレスチナ民族解放運動組織「ファタハ」発足（初代議長はアラファト、67年PLOに加入）
1964	PLO（パレスチナ解放機構）設立
1967	**第三次中東戦争。イスラエルは、東エルサレム、ヨルダン川西岸、ガザ、シナイ半島、ゴラン高原を占領**、国連安保理、イスラエルに撤退を求める決議（242号）採択
	パレスチナ解放人民戦線（PFLP）設立
1969	パレスチナ解放民主戦線（DFLP）設立
1970	ヨルダン「黒い9月」、ヨルダン王政はPLOをレバノンに追放
1973	第四次中東戦争
1974	アラファトPLO議長、国連で「オリーブの枝」演説
1975	レバノン内戦始まる

年	出来事
1976	3月30日、「土地の日」。イスラエル政府の土地収用に反対するパレスチナ系市民に対する弾圧
	レバノン、タッル・エル=ザァタル難民キャンプで集団虐殺
1980	イスラエル、東エルサレムを併合、首都化宣言
1982	イスラエル、レバノンに侵攻、ベイルートを占領、サブラー・ジャティーラ両パレスチナ難民キャンプで集団虐殺
1985	レバノン、キャンプ戦争（〜1987）
1987	第一次インティファーダ始まる
	民族解放組織「イスラーム抵抗運動」（ハマース）誕生
1988	11月15日　PLO、国連総会でパレスチナ国家独立を宣言
1990	イラクのクウェート侵攻、湾岸戦争（1991）
1993	オスロ合意。パレスチナ暫定自治開始
1995	オスロ合意に調印したイスラエルのラビン首相が暗殺
2000	**第二次インティファーダ始まる**
2001	アメリカ同時多発テロ事件
2003	アメリカ軍などによるイラク侵攻
2005	ガザからイスラエルの全入植地が撤退
2006	パレスチナ立法評議会選挙でハマース勝利

年	出来事
2006	イスラエル、レバノンに侵攻（ダーヒヤ・ドクトリン）
2007	ハマース、統一政府を作るもアメリカは承認せず。ガザ内戦、ハマース勝利。パレスチナは、ガザ（ハマース政権）、西岸（ファタハ政権）の二重政権に
	イスラエル、ガザを完全封鎖
2008	**12月、イスラエル、ガザを攻撃（09年1月にかけて22日間。パレスチナ側の死者1400人超）**
2010	チュニジアの地方都市で露天商のムハンマド・ブアズィズィが焼身自殺。「アラブの春」起こる（2011）
2012	11月、イスラエル、ガザを攻撃（8日間。パレスチナ側の死者140人超）
	11月、国連総会は「パレスチナ」をオブザーバー国家として承認
2014	5月、ネタニヤフ・イスラエル首相来日、安倍首相（当時）と会見し、「包括的パートナーシップの構築に関する共同声明」を発表
	4月、ハマース、ファタハと暫定統一政府発足に合意（51日間戦争により頓挫）
	7月、イスラエル、ガザを攻撃（51日間戦争。パレスチナ側の死者2200人超、うち500人は子供）
2017	トランプ大統領、アメリカ大使館のエルサレム移転を表明（18年5月に移転）
2018	3月末から1年半以上にわたり、ガザで**「帰還の大行進」**
2021	5月、イスラエル、ガザを攻撃（15日間）
2022	5月、イスラエル、ガザを攻撃（3日間）
2023	**10月7日、ハマース主導の越境奇襲攻撃を端に、イスラエルによるガザ地区攻撃が始まる**

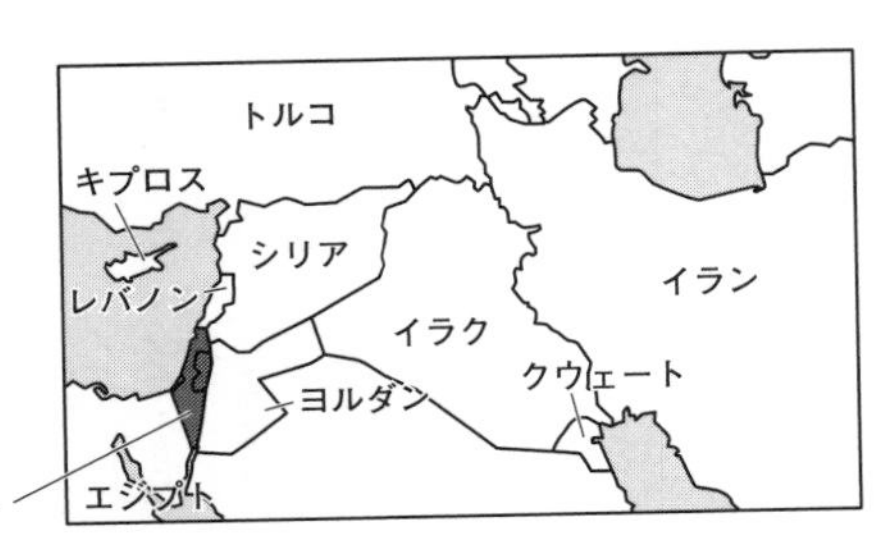
トルコ
キプロス
シリア
イラン
レバノン
イラク
クウェート
ヨルダン
エジプト
イスラエル／パレスチナ

パレスチナ全図

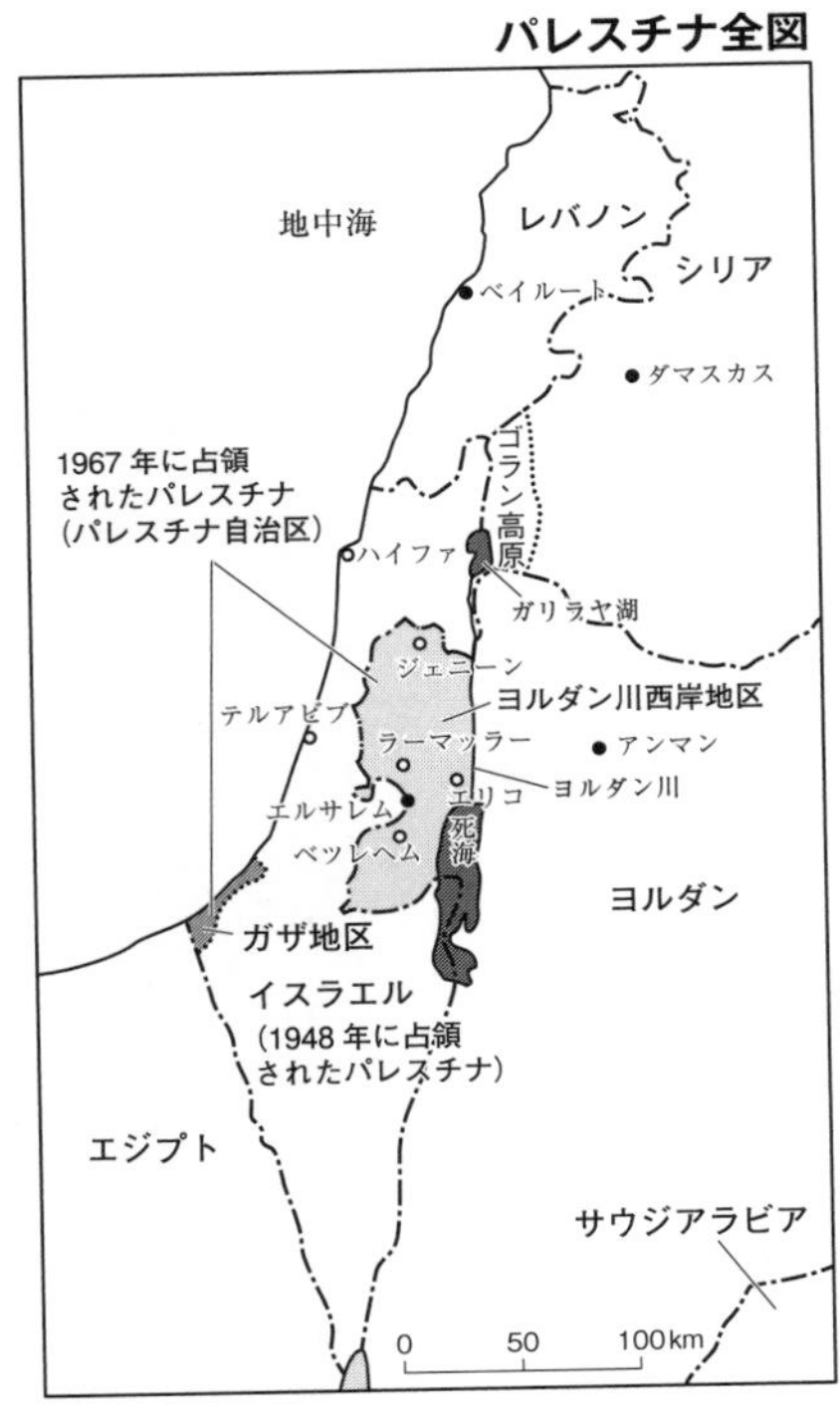
地中海
レバノン
シリア
ベイルート
ダマスカス
ゴラン高原
1967 年に占領
されたパレスチナ
(パレスチナ自治区)
ハイファ
ガリラヤ湖
ジェニーン
ヨルダン川西岸地区
テルアビブ
ラーマッラー
アンマン
エリコ
ヨルダン川
エルサレム
死海
ベツレヘム
ヨルダン
ガザ地区
イスラエル
(1948 年に占領
されたパレスチナ)
エジプト
サウジアラビア
0
50
100 km

ガザ地区

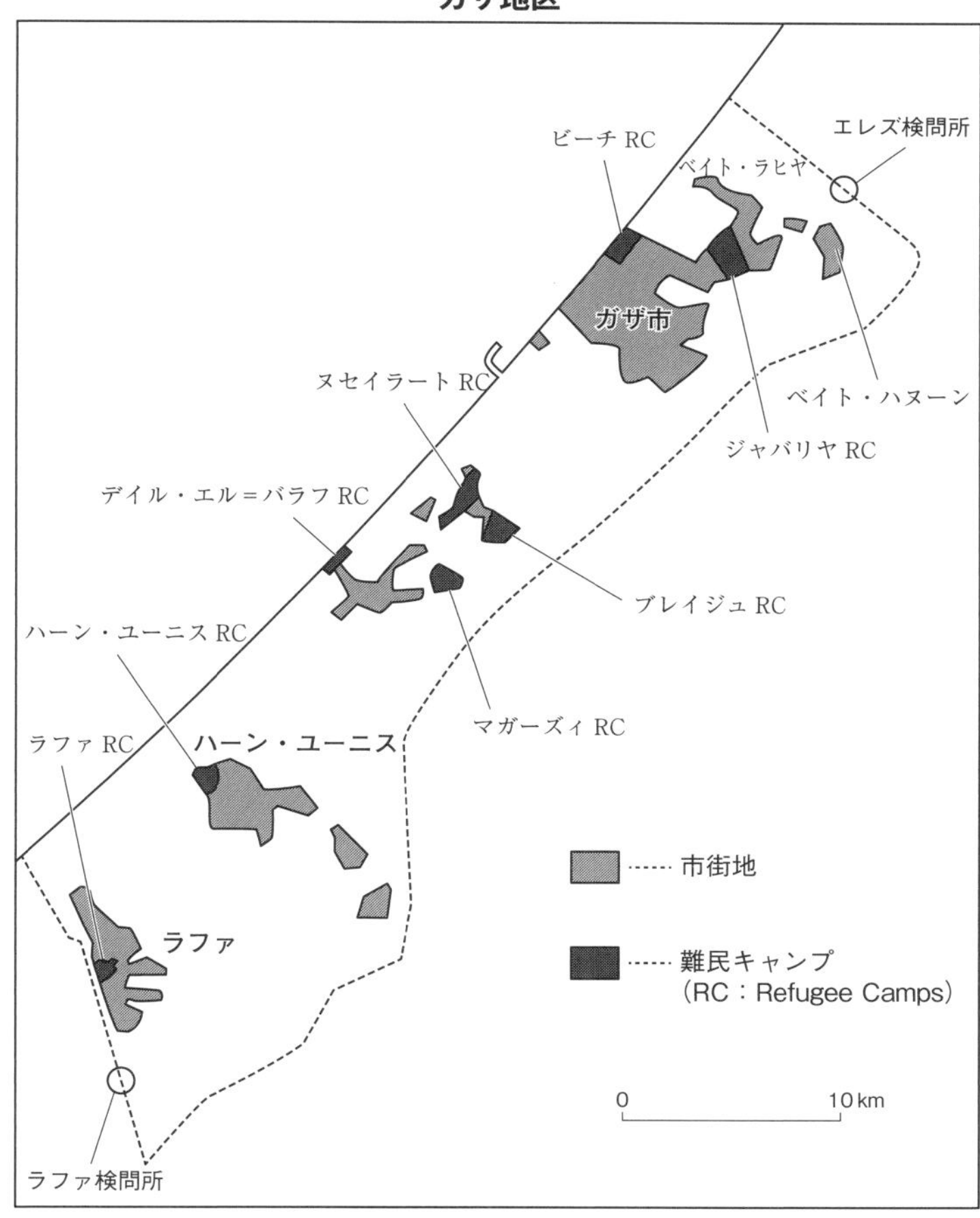

（『ガザ通信』をもとに作成。地図は 2000 年時点。©Jan de Jong）

第1部

ガザとは何か

10月20日 京都大学講演より

講演に先立ってまず最初に、今、ガザで、そして一九四八年に占領されてイスラエルとなったところで、パレスチナ人、そしてイスラエルの人々が――死ななくていいはずの人たちが――、今、亡くなっているということに思いを馳せて、一分間、黙祷をしたいと思います。電気を消していただけますでしょうか。

では、黙祷。

ありがとうございます。

今、ガザでは、ほとんどのところが、燃料を断たれ電気を断たれて、真っ暗な状態にあります。その中で昼夜を問わず爆撃が続いている。飲み水も食べるものも底をついているという状況です。

今回、この学習会は、本当に緊急に企画されました。

十月七日から始まった、今起きている出来事を、日本だけでなく、文明国を名乗る主流の企業メディアは、この問題の、ごくごく限られた一部分しか報じていないと感じます。この問題の根本はいったい何なのか、といういちばん肝心な部分がまったく語られていない。もう一度そこに立ち返る、そんな学習会が今、緊急に必要だということで、この学習会は企画されました。

当初は、少人数で開催して、配信や公開はせず、対面で丁寧な議論をできればと思っていました。しかし、それから数日の事態の展開を見ているだけでも、とにかく今、起きていることはジェノサイド（大量殺戮）にほかならず、このジェノサイドを止めるために、止めさせるために、世界の市民の一人一人ができる限りのことをしなければならないという、そういう状況にあります。

だから、一人でも多くの方に聞いていただきたいという思いから、ＩＷＪ（インディペンデント・ウェブ・ジャーナル）さんのご厚意に甘えて、中継していただくことになりました。本当にバタバタしていて、行き届かない点もあると思いますが、これだけ大勢の方が、ショートノーティスにもかかわらず来てくださり、聴いてくださるということが嬉しいです。ありがとうございます。

では、時間もないので、すぐ話に入らせていただきます。

毎年行われるイスラエルのヘイトデモ

まず、動画を一つご覧ください。積極的に見たい内容のものではありませんが。

これは「フラッグマーチ（旗の行進）」と呼ばれる、イスラエルの右翼によるデモンストレーションです。イスラエルは一九六七年に軍事占領した東エルサレムを一九八〇年、国際法に違反し併合して、首都化宣言を行いました。そのエルサレムで、毎年、イスラエルが「独立記念日」と呼ぶ日に大々的に行われるイベントです。「アラブ人に死を」、「お前の村を燃やしてやるぞ」、などとヘブライ語で叫んでいます。「アラブ人」とはパレスチナ人のことです。このデモが行われている東エルサレムはパレスチナ人の街です。パレスチナ人も大勢、暮らしています。また、イスラエル国家の人口の二割もパレスチナ人です。その中で、アラブ人に死を、と言っています。「シュアファートは燃えている」。シュアファートとは、エルサレム郊外にあるパレスチナ難民キャンプです。一九四八年に故郷を占領されて、民族浄化され、難民となってエルサレムにやって来たパレスチナ人が暮らしています。

「ムハンマドは死んだ」。イスラームの預言者、ムハンマドのことですね。

「シリーンは売春婦だ」。シリーンとは、シリーン・アブー＝アクレさんという、パレスチナ系アメリカ人のジャーナリストで、昨年（二〇二二年）、ヨルダン川西岸地区を取材中にイスラエル兵に狙撃され、射殺された方です。イスラエル軍は当初、交戦中にパレスチナ側の戦闘員が発砲した銃弾が当たったのだと主張しましたが、当

フラッグマーチ（旗の行進）

出典：https://twitter.com/972mag/status/1531204214751469570　video by @OrenZiv_

時、戦闘は行われておらず、のちにイスラエルは自軍兵士が射殺したことを認めています。

パレスチナ人に対するヘイトクライムを扇動するこのようなヘイト・デモが毎年、イスラエルのユダヤ人によって行われています。この動画の最後には、パレスチナの旗を掲げた年輩のパレスチナ人男性がデモに抗議するのですが、複数の警官が襲いかかって、彼を取り押さえます。

東エルサレムの旧市街には、ユダヤ教、キリスト教、イスラームの聖地があります。東エルサレムは一九六七年の第三次中東戦争で、ヨルダン川西岸地区、ガザ地区とともにイスラエルに軍事占領されますが、直後に国連安全保障理事会は、イスラエルに対してグリーンライン（一九四九年〈第一次中東戦争〉の休戦ライン）の内側まで撤退せよと決議します（安保理決議２４２）。しかし、今に至るまでイスラエルはそれを履行していません。一九八〇年にイスラエルは、安保理決議に違反して占領を続ける東エルサレムを併合します。これは国際法違反です。そして、エルサレムの首都化宣言を行いました。

アメリカはイスラエルをその建国時からずっと応援していますが、大使館をエルサレムに移転させることまではしませんでした。大使館移転は、イスラエルの首都がエルサレムだと認めることであり、それは、国際法を踏みにじることだからです。しかし、トランプ政権時代の二〇一八年、イスラエルが国際法を侵犯して併合したエルサレムにアメリカ大使館を移転します。

一九六七年の占領以来、とりわけ一九九三年のオスロ合意以降、現在に至るまで、イスラエルは占領地に国際法違反の入植地を拡大させ、エルサレムと西岸におけるパレスチナ人住民の民族浄化を強力に推し進めています。

冒頭の、エルサレムにおけるフラッグマーチの一件だけからも、イスラエルという国がどういう国家なのか、その本質の一端をご理解いただけるのではないか、と思います。

今回のガザへのイスラエルの攻撃に対して、ユダヤ人からも抗議の声が上がっています。

十月十八日、アメリカのユダヤ系市民五百人が米議会施設を占拠するという出来事がありました。議会の外で行われた抗議集会にも大勢の市民が参加し、あるユダヤ人女性は、「自分はユダヤ人だからこそ、ユダヤ教の教えに則って、今、イスラエルが行っていることを批判する。ジェノサイドだと告発する」と語っています。イスラエルは自らを、ホロコーストの犠牲者であるユダヤ人の国と主張し、日本のメディアも、イスラエルの主張があたかもユダヤ人の主張を代表するものであるかのように語りますが、ユダヤ人であるからこそ、またホロコーストを経験したユダヤ人だからこそ、イスラエルという国を認めないユダヤ人が、世界には大勢いるのです。

四つの要点

今日、申し上げたい要点は四つあります。

一つは、**現在起きていること、これはジェノサイド（大量殺戮）にほかならない**ということです。

テレビの報道番組を見ていると、地上戦がいつ起こるのか、地上戦が起きたらどうなるのか、ということが報道の中心になっています（十月二十日時点）。私もメディアから取材の連絡を受けて、地上戦が起きたら何かコメントをしてくださいと言われました。

でも、「地上戦が起きたら」じゃないんです。過去の例からすると、地上戦が起きたら、死者の数もはね上がり、本当にとんでもないことになります。じゃあ今起きていることがとんでもなくないかと言ったら、決してそんなことはない。今、すでに、起きていることがジェノサイドであり、とんでもないことなんです。

もう一点。日本の主要メディアは、このジェノサイドに加担しています。十月七日以降の出来事を報じる際、あるいはそれ以前からですが、ガザで、パレスチナで本当は何が起きているのかということを「報じない」ことによってです。

とりわけ十月七日以降の出来事を、あたかも「テロリスト集団のハマスがテロ攻撃を仕掛けた」といったイスラエルが流す情報を無批判にそのまま流している。これは日本だけではなく、アメリカやヨーロッパの主流のメディアもそうです。

さらに、イランがどうの、ロシアがどうの、中国がどうの、といった国家間の、現在の国際政治の話しかしない。**今日的、中期的、長期的な歴史的文脈を捨象した報道をすることによって、今起きているジェノサイドにも加担していると言えます。**このことは本当に強く主張したいと思います。

今、起きていることはジェノサイドである、我々はこれを何とかして止めなくてはいけない。では、その問題の根源とは何なのか。その根本に立ち返ってしっかりと報道していたならば声を上げていたかもしれない人たちまでも、結局、「暴力の連鎖」「憎しみの連鎖」といった言葉に納得してしまい、「どっちもどっち」だと考えて、先に進むことがなくなります。こうした言葉を使うメディアは信用しないでください。「暴力の連鎖」「憎しみの連鎖」じゃないんです。こういった言葉に落とし込むような報道自体が、私は犯罪的だと思います。こうした言葉を使うことによって、結局、出来事を「他人事」にし、声を上げない、無関心でいる側にとどまることになります。

パレスチナで起こることは双方の憎しみが原因で、それゆえに暴力ばっかり起きていて、どっちもどっちだ、といったスタンスで距離を置くことによって、私たち市民までも、今、自分たちの目の前で、同じ地球上で起きているこのジェノサイドの共犯者になっているのです。

要点の三つ目は、報道で捨象されているその歴史的文脈です。すなわち、**イスラエルという国家が入植者による植民地国家であり、パレスチナ人に対するアパルトヘイト国家（特定の人種の至上主義に基づく、人種差別を基盤とする国家）である**という事実です。

これまでの主流メディアのテレビ、新聞の報道で、「イスラエルは植民地主義的侵略によってできた国である、アパルトヘイト国家だ」といった言葉をお聞きになったことがありましたでしょうか。そうした歴史的事実をしっかりと報道しないことによって、主流メディアは問題の根源をむしろ積極的に隠蔽していると言えるのです。

最後の一点です。これまでイスラエルは、数えきれないほどの戦争犯罪、国際法違反、安保理決議違反を続けてきましたが、それを国際社会はひとたびもきちんと裁いてきませんでした。イスラエルに対する不処罰、イスラエルのやっていることは不問に付すという〝伝統〟が国際社会には形成されているのです。

これをウクライナと比べてみてください。ロシアによるウクライナ侵攻で、国際刑事裁判所はすぐに動いて、プーチン大統領に対して戦争犯罪の容疑で逮捕状を出しました。

しかし、「二〇一四年に起きたイスラエルによるガザへの攻撃を、戦争犯罪として調査してほしい」というパレスチナ側の要求に国際刑事裁判所が応えるまで、実に五年もかかっているんです。調査すると決まってからも、まだ棚上げにされていた。そして調査されないまま、ついにまた、こんな出来事が起きてしまった。

今、ガザでパレスチナ人のジェノサイドを行っているのはイスラエルですが、では、何がそのジェノサイドを可能にしているのかと言えば、この長きにわたる国際社会の二重基準です。

ジャスティス（公正さ）の基準は、一つでなければいけません。「こっちには適用されるけど、あっちには適用されない」。そんなものはジャスティスではありません。「公正」であるためには、何人（なんぴと）にも等しく適用されなければいけない。

しかし、ウクライナのように、アメリカにとって都合のいい場合は国際法や人権が声高に主張され、メディアもキャンペーンを張り、アメリカにとって都合が悪い場合は、国際法も人権もまったく顧みられない。**何十年にもわたる、こうした国際社会の**

二重基準があり、それを私たちが許してきてしまっているということ、それ自体を問いたいと思います。

イスラエルによるジェノサイド

繰り返しますが、今、ガザで起きていることは、ジェノサイドという言葉のあらゆる定義に照らして、ジェノサイドに他ならないものです。

一九四八年の国連総会決議で、全会一致で採択された「ジェノサイド条約」から一部抜粋します。

ジェノサイド条約（抜粋）　一九四八年署名、一九五一年発効

第一条　締約国は、集団殺害が平時に行われるか戦時に行われるかを問わず、国際法上の犯罪であることを確認し、これを、防止し処罰することを約束する。

第二条　この条約では、集団殺害とは、国民的、人種的、民族的又は宗教的集団を全部又は一部破壊する意図をもつて行われた次の行為のいずれをも意味す

る。
（a）集団構成員を殺すこと。
（b）集団構成員に対して重大な肉体的又は精神的な危害を加えること。
（c）全部又は一部に肉体の破壊をもたらすために意図された生活条件を集団に対して故意に課すること。

イスラエルが現在、そしてその前から、ガザのパレスチナ人に対して行っているのは、まさにこの条文通りのことです。

しかし、十月七日に始まった事態は、「ハマースとイスラエル間の戦い」というきわめて限定的かつ誤った観点からしか見られていません。ガザをめぐって、パレスチナをめぐって、短期的、中期的、長期的に起きていること、そのすべてが捨象されてしまっています。

例えば、国連人道問題調整事務所（ＯＣＨＡ）の統計によれば、二〇二三年に入ってからでも、ヨルダン川西岸地区では、十月七日の攻撃が始まるまでにパレスチナ人二〇五人が殺されています。そのうち四十一人が子供です。西岸はパレスチナ「自治区」と呼ばれますが、その実態は紛れもない植民地です。

イスラエルはパレスチナ人の土地を奪い、この西岸地区に入植地をどんどん造って、イスラエルのユダヤ系市民を入植させています。これは国際法違反です。その入植者たちが武装して、西岸のパレスチナ人を襲撃しています。集団でパレスチナ人の家や車に石をぶつけるのは日常茶飯事です。パレスチナ人農家の生活の糧であるオリーブ畑を燃やしたり、家に火をつけたり、場合によっては殺したりする。それを彼らは、イスラエル軍に護られながら行っています。二〇二三年一月から六月までの半年間で、実に六〇〇件もの、こうした入植者による暴力が起きています。

さらに、イタマル・ベン＝グビルという、イスラエルの極右政党の党首で、現在、治安大臣を務めている人物が、エルサレムのイスラームの聖地に行き、ここはユダヤのものだという挑発行為を何度も繰り返し行っています。これらはみな、ガザではなく、西岸で起きていることです。

このような暴力に対して、もしパレスチナ人が抵抗したとしたら、その場で逮捕されます。そしてイスラエルの刑務所に入れられます。裁判もなく、です。その拘留は無期限に延長できます。イスラエルのこうした「法外」の暴力——直接的暴力や制度的暴力——によって、アルジャジーラの報道によれば、十月七日段階で五千人以上のパレスチナ人の子供、女性、男性たちがイスラエルの刑務所に拘留されていました。

封鎖下のガザに繰り返される攻撃

ガザ地区は一九六七年以来、西岸とともに五十年以上にわたってイスラエルの占領下にあります。さらに二〇〇七年以降は、イスラエルに完全封鎖されています。イスラエルは占領国として、本来であれば占領下にあるガザの人々の生活を保障する義務を負っているのに、あろうことか完全封鎖したのです。

物資も人間も、イスラエルが許可する物しか搬入・搬出、入域・出域ができません。燃料や食料、医薬品などのライフライン、原材料などが最低限しか入ってきません。ガザで生産した物もガザの外に出荷することができない。ガザの経済基盤は破壊され、住民の多くが極度の貧困状態に置かれています。完全封鎖が始まって、今年で満十六年。今、十七年目に入っています。袋のねずみ状態にされて、海から空から陸からの大規模な軍事攻撃が、この十六年の間、スケールアップしながら四回も繰り返されてきた。繰り返される攻撃によって、ガザの社会インフラも完全に破壊されてしまいました。つまり、ガザの人道危機は、今回の出来事で始まったことではないのです。イスラエルの違法な完全封鎖によって、すでに何年も前から、ガザは人為的に創り出された人道危機状態にあったのです。

ガザに繰り返される攻撃とは、どのようなものだったのでしょうか。

封鎖が始まって一年後の二〇〇八年十二月から〇九年一月にかけて、二十二日間の攻撃があり、一四〇〇人超のパレスチナ人が殺されました。一二年十一月には、八日間で一四〇人の死者。その傷も癒えないうちに、一四年七月から八月にかけて、五十一日間にわたる攻撃があり（五十一日間戦争）、ガザで二二〇〇人以上（国連発表）が殺されました。

ガザの人口は現在二三〇万と言われていますが、五十一日間戦争当時の人口は一八〇万人です。一八〇万人で二二〇〇人の死者というのは、日本の人口比に換算すると十五万人に相当します。五十一日間で、日本で言えば十五万人が殺されたことになります。

アメリカによる原爆投下によって焦土と化した広島で、一九四五年八月六日から十二月末までに、被曝で亡くなった方が約十四万人です。核兵器こそ使われていないものの、一四年のガザ攻撃では、ＴＮＴ火薬に換算して、広島型原爆と同じだけの火力が使われています。* これは、ジェノサイドではないのでしょうか。一四年の時点で、すでにガザでジェノサイドは起きていたのです。

そして、二〇二一年五月。五十一日間戦争から七年後。この時は十五日間と、期間的には短いものでしたが、テレビで破壊のさまを見た時、その凄まじさに驚きました。もちろんそれ以前から、攻撃の凄まじさに驚いているのです。人間を一つのところに閉じ込めて、逃げ場のない者たちに対してこんな爆撃を行うということに。〇八－〇九年に最初の攻撃が起きた時、私は京都大学で行った集会に「人間性の臨界」というタイトルを付けたほどです。しかし、パレスチナはつねに最悪を更新し続けるんです。こんなこと信じられないと思っても、その次にはそれを軽々と上回る出来事が起きていくのです。

二一年五月の攻撃の破壊力は本当に凄まじかった。そして今、それすらも比較にならないような破壊力をもった攻撃が、見境なく行われています。

一四年の五十一日間戦争の時、ガザの人たちは国連の学校など国連施設に避難しました。国連の施設は攻撃してはいけないからです。でも、そのシェルターになっていた国連施設が爆撃されて、中に避難していた人々や、国連のスタッフが数十人殺されています。するとイスラエルは、「ハマースが国連の学校にロケットランチャーを隠しているから」と言う。そう聞くと、「ハマースが民間人を人間の盾にしているのか」

と思ってしまいます。あるいは、どちらの言い分が正しいか分からないので、とりあえず判断を保留してしまう。いずれにせよ、国連施設を攻撃したイスラエルを非難しない。イスラエルの思うツボです。どんな法外な攻撃を行っても、とりあえず「ハマースが」と言っておけば非難はかわせる。事実が明らかになった時には、世界はもう、そんなことがあったということすら忘れているというわけです。

しかし今回の攻撃では、イスラエルはそんな言い訳すらしていません。ガザ地区の地下にハマースのトンネルが張りめぐらされているので、どこをどれだけ攻撃しようが、言い訳も必要ないということでしょうか。

現在の攻撃で、イスラエルは白リン弾を使っています。白リン弾とは照明弾の一種で、空気に触れている限り鎮火しません。肌についたら、骨に達するまで肉を焼き尽くしていきます。一度吸い込んでしまったら、肺を内側から、体の中から焼き焦がしていくという非人道兵器です。〇八－〇九年の最初の攻撃でイスラエル軍はこれを使い、多くの方が亡くなりました。ネットで「ガザ　白リン弾（Gaza white phosphorus）」などと検索すると、犠牲者の写真が出てきます。中には、白リン弾を浴びて焼け焦げた赤ちゃんの写真もあります。

白リン弾

イスラエルとレバノンの国境付近で使用された白リン弾（2023年11月12日撮影） 写真：ロイター／アフロ

日本の表現の基準では、こういう暴力的な図像を公に流してはいけないのだと思いますが、むしろ私たちにはこれを見る責任があると思います。ガザで今、パレスチナ人の身にどのようなことが起きているのか知るために。それをお断りした上でお見せいたします。（写真省略）

イスラエルは、〇八-〇九年の攻撃で白リン弾を使ったことに関して世界中から非難されたので、攻撃力、破壊力といった戦術的効果よりも、国際世論を敵に回さない、世界から非難されないことを重視して、以後、白リン弾の使用を控えていました。しかし、今回また、白リン弾を使っています。黒焦げになった遺体が病院に運ばれているという報告がなされています。

＊ https://electronicintifada.net/blogs/ali-abunimah/how-many-bombs-has-israel-dropped-gaza

発信することすらできない

さらに今は、電気の供給も停止しました。ごく一部の経済的に余裕のある人は燃料などを備蓄しているので自家発電ができるかもしれませんが、そういう人たちに対して、ガザの病院は燃料を提供してほしいと呼びかけています。イスラエルは、ガザ北部の住民に対して命が惜しければ南部へ行けと通告しましたが、家を捨てて移動した人たちは、自分たちの携帯やパソコンを充電することができません。

パレスチナの情報サイトで現地のジャーナリストが書いていました。「イスラエルは、ガザで自分たちが行っている犯罪を世界に発信されたくないから、ガザをブラックアウトするんだ」と。過去の攻撃の時でも電気の供給は少なかったですが、それでも一日数時間は供給されていたので、その間にパソコンや携帯を充電して、ガザの人々が今起きていることを世界に知らせることができました。今回、ガザ全体がブラックアウトされることで、それができなくなる、大幅に制限されることになります。

イスラエルの情報戦

イスラエルは情報戦に多額の国家予算を割いています。イスラエル側の犯罪が糾弾されるようなことがあったら、直ちにそれに対する偽の対抗情報を発信します。

例えば、二〇〇〇年九月に始まった第二次インティファーダ（イスラエル占領下の民衆による、占領に対する一斉蜂起）のさなか、ガザでイーマーン・ハマースという十三歳の女の子がイスラエル兵から十数発の銃弾を受けて殺されました。世界中でイスラエル非難の声が上がったのですが、それに対してイスラエル側は、少女がカバンの中に爆弾を持っていて、それをイスラエル兵に投げようと近づいてきたので自衛のために殺したという情報を発信しました。

こんなこと、私たちには確かめようがありません。「こちらはこう主張しているが、あちらはこう言っている。私たちにはそれを確かめるすべがないので、とりあえず判断は留保しよう」、となってしまう。

同じく第二次インティファーダ下のガザで、ムハンマド・ドゥッラという十二歳の男の子が、お父さんと買い物に行った帰りに戦闘に巻き込まれ、子供がいるから撃つなと叫ぶ父親の傍らで、撃たれて殺されました。少年を救出しようと駆けつけた救急隊も狙撃されています。医療従事者に対する攻撃も国際法違反です。

父親の腕の中で少年が息絶えるという映像が世界に流れて、この時もイスラエル非難の声が世界的に高まったのですが、これに対してイスラエルは、あれはパレスチナ側が撃った弾が当たって死んだのだ、と発表する。これも、私たちには検証するすべがありません。

西岸で狙い撃ちされ、殺されたジャーナリスト、シリーン・アブー＝アクレさんの場合もそうでしたが、イスラエルはつねに、自分たちが行ったことに関して、「いや、あれはパレスチナ側が」という偽の対抗情報を流します。これは、イスラエルの常套手段です。今回も「テロリスト、ハマースがイスラエルに侵入して、キブツ（イスラエルの集団農場）で残忍に子供の首を刎ね、焼き殺した。女性たちをレイプした」というような報道を一斉に流しました。

イスラエルがパレスチナ人に対して行ってきたことを長らく観察している者として

言えるのは、イスラエルはつねに、自分たちがやっていることを、相手がしたこととして発信する、ということです。

焼き殺された子供というものが、世界にどれだけインパクトを与えるか、自分たちがガザで白リン弾を使った経験から知っているから、そういうことを言う。今回、イスラエルが、パレスチナ人に焼き殺された子供と言って発信した画像は、ＡＩによる合成画像だったことがすでに分かっています。バイデン大統領はネタニヤフ首相からそうした写真を見せられて衝撃を受けたと語りましたが、後になって、バイデンはそうした写真を見ておらず、イスラエル側の報道だけを見て語ったものだと大統領府が釈明しています。

ガザとは何か

ガザとは、何でしょうか。

まず、ガザの住民たちは、どういう人たちなのでしょうか。

ガザの住民たちの七割は、一九四八年、イスラエルの建国に伴う民族浄化によって暴力的に故郷を追われ、難民となった者たちとその子孫です。ガザの住民たちの多くは難民である、ということは報道でも口にされますが、では、この人たちはいったいなぜ、どのように、どのような暴力によって難民になったのか、そのことが報道では完全にスルーされています。

一九八六年、学生時代に私は、当時、エジプトのカイロからイスラエルのテルアビブの間を結んでいた長距離バスに乗り、エジプトとガザの境界にあるラファ検問所を通ってガザに入りました。真っ先に目に飛び込んできたのが、鮮やかな、たわわに実ったオレンジでした。

ミシェル・クレイフィという、一九四八年に占領されてイスラエル領となってしまったパレスチナのガリレア地方出身のパレスチナ人の映画監督がいます。第一次インティファーダをテーマとした彼の『三つの宝石の物語』という作品で、主人公の少年ユースフは、ガザからヨーロッパに向けて出荷されるオレンジの実がぎっしり詰まったコンテナに身を潜めて、ガザ脱出を図ろうとします。ガザは地中海式気候ですから、オレンジやレモンなどの柑橘系の栽培が盛んです。

ガザの北部に、ベイト・ラヒヤというところがあります。ガザとイスラエルの境界近くに位置し、今まさに爆撃にさらされている場所です。ベイト・ラヒヤはイチゴの

ベイト・ラヒヤのイチゴ農園

ガザ地区北部、ベイト・ラヒヤの農園でイチゴを手に持つ女性　写真：AP/アフロ

里として知られ、イチゴ栽培が盛んです。

二〇一四年、五十一日間戦争の数カ月前ですが、私はガザに入ることができました。このベイト・ラヒヤを訪れた時、イチゴ農家の方が大粒のイチゴをいっぱいご馳走してくれました。日本では、食べたことがないような大粒で甘いイチゴです。ＥＵ市場に出したら、第一級品のイチゴとして売れるイチゴだそうです。

ところが、ヨーロッパ市場に輸出するためには、イスラエルの輸出業者を仲介させなければ、イスラエルが出荷を認めません。そうすると、仲介手数料をとられるので、価格を高くせざるを得ず、競争力がなくなる。価格を安く抑えれば、収益はガザで消費するのと変わらなくなってしまう。それだけのすばらしいイチゴを丹精込めて作りながら、結局、封鎖のために輸出することもできず、私が訪れた二〇一四年三月には、ガザの町中に、悲しくも、大粒のイチゴがあふれていました。

みなさんはこのところの報道で、ガザの地図を何度もご覧になっているかと思いますが、ガザ地区は、地中海に面して四〇キロの海岸線があります。遠浅のビーチです。二〇〇五年にイスラエルの全入植地がガザから撤退するまでは、海岸沿いに大規模な入植地があったため、ガザのパレスチナ人は海に行くこともできなかったのですが、入植地が撤退したことによって、ビーチが再びガザのパレスチナ人のものとなりました。ヨーロッパからも近く、封鎖や占領がなければ、農業や漁業、工業、観光業など、ガザは経済的に非常に発展できる可能性を持っています。

まだ封鎖される前の、大量破壊を伴う攻撃が起こる前のガザ市の写真を見ると、ガザは実に美しいところだということが分かります。

農業も漁業も、ガザの基幹産業の一つでした。悲しいことに、「でした」と過去形で言わざるを得ません。こうした産業基盤が、占領と封鎖によって、徹底的に破壊されてしまったからです。

ガザの風景

封鎖前のガザ市（2007 年撮影） 撮影：OneArmedMan（パブリック・ドメイン）

ガザ市の海で遊ぶ人々（2008 年 6 月撮影） 写真：AP/ アフロ

ガザの人口ピラミッド（2021年）

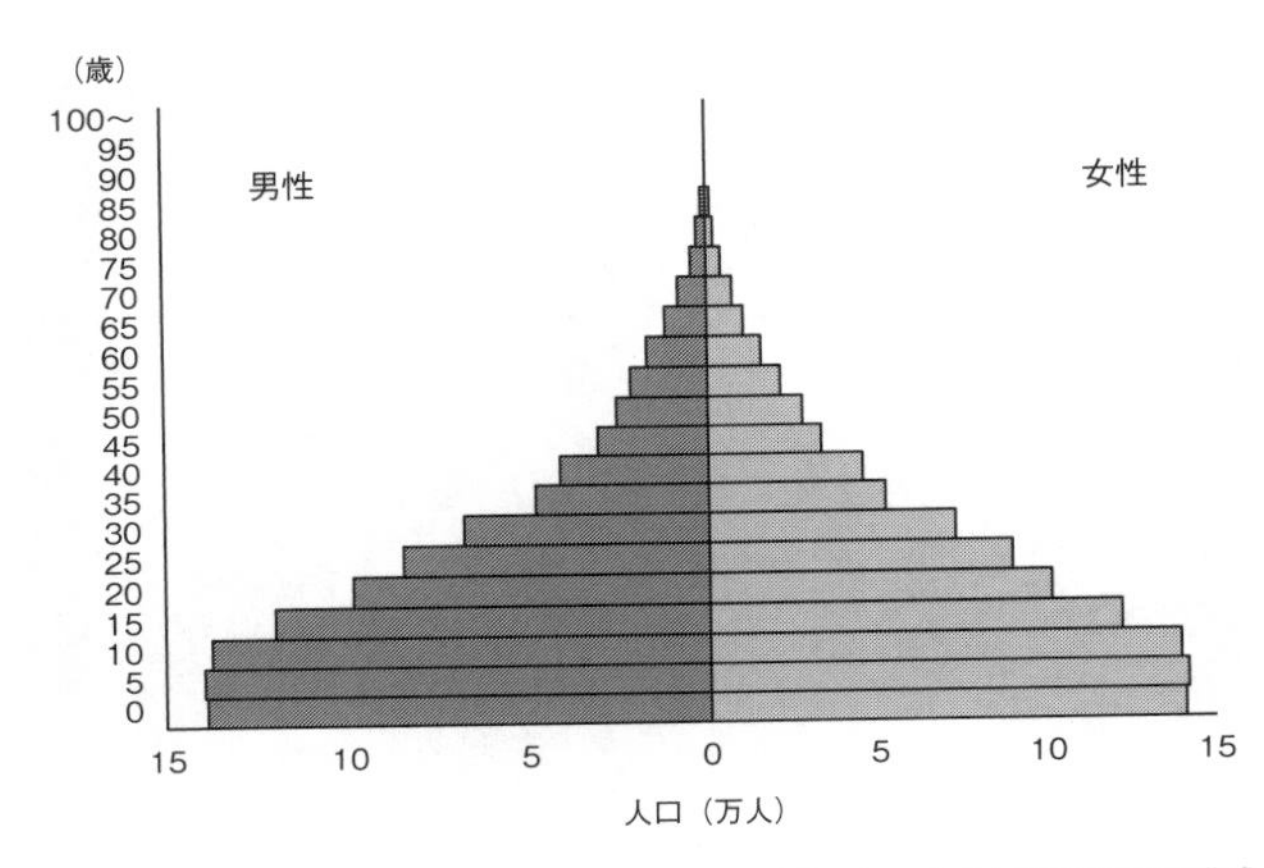

U.S. Census Bureau, International Databaseをもとに日本語版を作成

このガザ地区に、現在二三〇万人が暮らしています。その六五パーセントが二十四歳以下で、四〇パーセントが十四歳以下の子供です。今、無差別に爆撃されて、殺されているガザの人々の四割は十四歳以下の子供です。ガザの平均年齢は十八歳。それだけ、若年人口が多いということです（ちなみに、日本の平均年齢は四十八歳です）。

上図はアメリカの統計局が発表しているガザの人口ピラミッドです。上部ほど年齢が高く、下部ほど若いのですが、若年人口がいかに多いか、一目で分かります。

これらガザの二三〇万人の住民のうちの七割が、七十五年前の一九四八年、「ユダヤ国家」の建設に伴う民族浄化の結果、難民となってガザにやって来た者たちとその子孫です。

一九六七年以降、ガザは西岸とともにイスラエルに占領され、依然として占領下にあり、〇七年以降は完全封鎖下に置かれています。完全封鎖されてから、今年で十七年目に入りました。

イスラエルはどう建国されたか

ではなぜ、彼らは難民となったのでしょうか。

メディアが報じない——それが無知ゆえなのか、それとも、積極的に明らかにしたくないからなのか分かりませんが——パレスチナとイスラエルをめぐる歴史的文脈、この問題の根源にある原因とは何なのでしょうか。

このことを考える上で、まず、イスラエルとは一体何なのか、どのように建国されたのかを、少し歴史をさかのぼってご説明したいと思います。

一九四五年、ナチス・ドイツが敗れて、ソ連軍がアウシュヴィッツを解放します。

六〇〇万と言われるヨーロッパのユダヤ人がホロコーストの犠牲になりましたが、一方で、それを生き延びた者たちがいます。

このホロコースト生還者たちに何が起きたか。詳しくは野村真理さんの『ホロコースト後のユダヤ人』（世界思想社）をお読みいただきたいのですが、例えばポーランドでは、ナチスの強制収容所を生き延びて、故郷に帰ったら自分の家がクリスチャンのポーランド人に奪われていたとか、ポーランドではまた、ホロコーストを生き延びたのに、帰った故郷の村で集団虐殺されるというようなことも起きています。アメリカへの移住を希望していたユダヤ人も大勢いましたが、この時期、アメリカは新規移民を受け入れていませんでした。

結局、連合軍が占領していたドイツや、ドイツがかつて占領していた東欧地域で、行く当てのない、帰る場所のないユダヤ人二十五万人が難民となっていました。連合軍にとっては、この二十五万のユダヤ人難民をどうするのかということが、当時抱えていた大きな課題の一つでした。

一九四七年十一月二十九日、国際連合の総会で一つの決議がなされます。国際連合というのは、第二次世界大戦に勝利した連合国が、戦後の新世界秩序のために作った組織ですね。この時、喫緊の課題であったヨーロッパのユダヤ人難民問題を解決するための投票が行われ、「パレスチナを分割し、そこにヨーロッパのユダヤ人の国を創る」ことが賛成多数で可決されたのです。

なぜここに、突然、パレスチナが出てきたのでしょうか。これについても、またちょっと時代をさかのぼってご説明いたします。

シオニズムの誕生

十九世紀の終わりにヨーロッパのユダヤ人の間で**「シオニズム」**という、パレスチナに「ユダヤ国家」を建設するという政治的プロジェクトが誕生します。

そのきっかけとなったのが、一八九四年、フランスで起きた**ドレフュス事件**でした。フランスでユダヤ系のアルフレッド・ドレフュス大尉が、国家機密漏えいの罪に問われ、終身刑を宣告されたという事件です。冤罪です。この事件は、当時のヨーロッパのユダヤ系知識人に大きな衝撃を与えます。

近代以前、神が絶対だった時代には、ヨーロッパ・キリスト教社会のユダヤ教徒は、イエスが救世主であるというクリスチャンにとっての絶対的真理を頑なに認めないことでずっと差別されてきましたが、近代市民社会になり、信仰が個人の内面の問題になり、信仰の如何にかかわりなく、みな、市民として平等ということになって、ユダヤ人差別も克服されるかに見えました。西欧社会では、それぞれの国で、フランス人として、あるいはドイツ人として「同化」すれば、ユダヤ人に対する差別もなくなるだろうと考えられていました。

同化ユダヤ人の知識人たちがそう考えていた時に起きたのが、このドレフュス事件です。ドレフュスは軍人でした。軍人というのは、祖国のために命を賭して戦う者たちです。ユダヤ人であってもフランスを祖国として、プロシアのユダヤ人と戦うことを誓った者たちです。

同化して軍人にまでなっても、ユダヤ人であれば冤罪を着せられて終身刑になる。近代市民社会になろうが、ヨーロッパからユダヤ人差別はなくならない。同化すればユダヤ人差別はなくなると思っていたのに、同化は解決にならない。ドレフュス事件は、同化ユダヤ人に大きな衝撃を与えました。

近代以前、ユダヤ人であることは、信仰の問題だったので、例えばキリスト教に改宗すれば——それが良いか悪いかはさておき——、とりあえずクリスチャンになることができたわけですが、近代以後、ユダヤ人であることは、信仰ではなく血の問題にすり替えられていきます。

つまり、ユダヤ人とは、ユダヤ教を信仰している人ではなくて、ユダヤ人の「血を引いている」者であるとされたのです。信仰が人種化されたということです。自分はカトリックだと思っていた人も、あるいは無神論者であっても、「ユダヤの血」なるものを引いていればユダヤ人にされてしまった。そうしてナチス・ドイツは、六〇〇万と言われるユダヤ人だとされた者たちを殺した。近代市民社会になっても、ヨーロッパ社会からユダヤ人差別はなくならなかったのです。

シオニズムは人気がなかった

ドレフュス事件に衝撃を受けた一人が、オーストリア＝ハンガリー帝国出身のジャーナリスト、テオドール・ヘルツルです。

彼は一八九六年、我々ユダヤ人が真に解放されるためには、ユダヤ人による、ユダヤ人のための、ユダヤ人の国を創るしかないと考え、『ユダヤ人国家（Der Judenstaat）』という本を書きました。この本の出版を契機に、政治的シオニズム運動が誕生します。

翌年、スイスのバーゼルで第一回世界シオニスト会議が開催され、パレスチナにユダヤ国家を建設することが決議されます。これ以降、シオニズムに基づくパレスチナへのヨーロッパ・ユダヤ人の入植活動が始まります。

ただ、ここで強調しておきたいのは、当初、シオニズムはユダヤ人の間で人気がなかったということです。

ユダヤ教の三大祭の一つである過越（すぎこ）しの祭では、最後に「来年はエルサレムで」と唱和されます。なので、シオニズムのような運動が起こったら、みんなこぞって聖地エルサレムのあるパレスチナに向かったのではないかと思われますが、そうではありませんでした。

敬虔なユダヤ教徒にとっては、ユダヤ人は世界に離散していて、どの国でもマイノリティの存在で様々な差別に遭う、これは神がユダヤ人に与えた試練であり、その試練を甘受しながら、ユダヤ教徒として神の教えに従って正しく生きていれば、いつの日か、神はメシア＝救世主を遣わして、我々をパレスチナに帰してくれる——これが、少なくとも紀元以降のユダヤ教の教えです。

だから、敬虔なユダヤ教徒にとっては、神がメシアを遣わしてもいないのに、人間の手で、それどころか帝国の軍事力を利用して、自分たちの国を創って神が与えた試練であるディアスポラ＝離散状態に人為的に終止符を打つなどというのは、ユダヤ教それ自体の否定である。ユダヤ人とはユダヤ教を信仰する人、その教えを守る人たちのことだから、正統派ユダヤ教徒は、シオニストはもはやユダヤ人ではない、とさえ考えました。

シオニズムに人気がなかったもう一つの理由としては、当時の社会主義者やコミュニストのユダヤ人たちは、自分たちや祖先が生まれ育ったその国こそが祖国であり、その国で革命によって差別のない平等な社会を実現することで、ユダヤ人に対する差別もなくなると考えていた、ということもあります。

また、今のアメリカの状況からは想像がつかないかもしれませんが、当初は、アメリカのユダヤ人も、シオニズムと距離を置いていました。なぜなら、アメリカのユダヤ人は、宗教こそプロテスタントではありませんが、「ヨーロッパから来た白人」ということで、アメリカ社会の中で社会的エリートになれる、階級上昇できる、そういう立ち位置にいました。その彼らが、アメリカ以外に祖国を持つのは、アメリカに対する忠誠心を疑われることになりかねない。アメリカにおいて特権的な立場にある、あるいは特権的地位に就く可能性が開かれている自分たちにとっては、シオニズムを支持することはマイナスであると考えたためです。

敬虔なユダヤ教徒が「シオニストはユダヤ人ではない」と考えたことからも分かるように、シオニズムを推進した人々は、同化ユダヤ人で、非宗教的な人たちでした。なので、ユダヤ国家を創ろう、どこに創ろうかと考えた時、ヘルツルは帝国に援助を乞います。イタリアはリビアの辺りはどうかと提案し、イギリスは当時の英領ウガンダを提供すると言ったりしました。なぜイタリアやイギリスに、リビアやウガンダを勝手にヨーロッパのユダヤ人に提供する権利があるのか。まさに植民地主義です。シオニストのユダヤ人もそれを当然と考えていました。

植民地主義としてのシオニズム

正統派ユダヤ教徒がシオニストを「もはやユダヤ人ではない」と見なしたように、彼らは、「神がユダヤ人に与えた約束の土地である」という宗教的な熱情に駆られてパレスチナでの国家建設を計画したわけではありませんでした。しかし、シオニズムに対するユダヤ人の支持を集めるため、政治的に、聖書の神話的物語を利用しました。

ヤコヴ・ラブキンさんという、カナダ在住の正統派ユダヤ教徒の歴史学者がいます。ラブキンさんが京都大学で講義してくださった際に紹介してくれた、イスラエルのジョークがあります。「シオニストは、神の存在は信じていないが、『パレスチナは、神がユダヤ人に与えた約束の土地である』ということは信じている」

イスラエルがどういう国なのかは、東京大学の鶴見太郎さんが『ロシア・シオニズムの想像力』(東京大学出版会)、『イスラエルの起源』(講談社選書メチエ)という本を書いておられます。ヤコヴ・ラブキンさんにも、シオニズムの誕生以来、正統派ユダヤ教徒がシオニズムに反対してきたことを論じた『トーラーの名において』(平凡社)や『イスラエルとは何か』(平凡社新書)という本がありますので、詳しくはこれらをお読みいただきたいと思います。

ヨーロッパのユダヤ人が、パレスチナという、アラブ人がもともと住まうアジアの土地に、ヨーロッパ人である自分たちの国を創るということ。これは何を意味しているのでしょうか。

まずここで強調したいのは、彼らがなぜそんな発想に至ったかというと、一つは、西欧社会が近代市民社会になっても、ユダヤ人差別、反ユダヤ主義という、ヨーロッパ・キリスト教社会の歴史的な宿痾(しゅくあ)を克服することができなかったから、ということです。ヨーロッパのユダヤ人は、ヨーロッパにおける反ユダヤ主義というレイシズム、人種主義の犠牲者です。それは間違いありません。

でも、彼らシオニストのユダヤ人たちは、自分たちの人間解放を目指した時、帝国の武力を背景にして、パレスチナというアジアの、アラブ人が暮らす土地に、ヨーロッパ人である自分たちが武力でもって国を創るということをなんら怪しみませんでした。つまり当時のヨーロッパ人が持つ、アラブ人、ムスリム、アジア人などに対するレイシズムと、ヨーロッパ人、西洋白人が軍事力の行使によって彼らの土地に自分たちの国を持つのは当然だとする植民地主義の精神を、シオニストたちもまた、当然のこととして共有していたということです。

パレスチナの分割案

二十世紀の前半、ヨーロッパ・キリスト教社会において連綿と続いてきた歴史的なユダヤ人差別、そして近代における反ユダヤ主義の頂点をなす出来事として、ナチス・

ドイツによるユダヤ人のジェノサイド、いわゆるホロコーストが起こります。その結果として、第二次世界大戦後のヨーロッパで、二十五万人のユダヤ人が難民となっていた、ということはすでに述べました。

このユダヤ人難民問題をどうやって解決するか、ということで国連がとった解決策が、「そうだ、シオニズムがあるじゃないか。パレスチナにユダヤ人の国を創るというこの運動を利用しよう」というものでした。

前述したように、シオニズムは誕生当初、熱狂的にこれを支持した人たちもいたとはいえ、ユダヤ人の間で人気がありませんでした。十九世紀末にシオニズムが誕生してから五十年経っても、パレスチナに入植するヨーロッパのユダヤ人は六〇万人ほどでした。その多くは、シオニストだからパレスチナに来たのではなくて、一九三〇年代以降、ナチスの台頭によってヨーロッパにいることが危険になり、やむなくパレスチナに逃げてきた人たちです。

当時、パレスチナ人（アラブ人）の人口は一二〇万人ほどです。ユダヤ人が六〇万人なので、ユダヤ人はパレスチナの総人口の三分の一です。また、ユダヤ人がそれまでに購入して所有していた土地は、全体のわずか六パーセントでした。

P55の地図は、歴史的パレスチナにおけるパレスチナ人の領土の変遷、パレスチナ人の土地がいかに縮減していったかを示したものですが、左から二番目にあるのが、一九四七年の国連総会で採択された分割案の地図です。二つに分けるといってもスパッと南北に分けるわけではなく、白の部分がユダヤ国家で、塗りつぶされた部分がアラブ国家です。

ユダヤ人人口が多い地域はなるべくユダヤ国家に組み込んで、アラブ人の人口が多いところはアラブ国家にするということでこのような形になっているのですが、人口的に三分の一、土地に関しては、左端の地図が示すように数パーセントしか持っていなかったユダヤ人に、歴史的パレスチナの半分以上の土地を与えるという案でした。

この分割案が四七年十一月二十九日に国連総会にかけられる前に、国連は特別委員会を設けて、この分割案についてアドホック委員会に検討させています。アドホック委員会は分割案を子細に検討して、結論を出しました。

第一次世界大戦でオスマン帝国が敗れ、オスマン帝国領であった東地中海のアラブ地域をフランスとイギリスが植民地分割した結果、パレスチナは当時、国際連盟による委任統治という名の、イギリスの植民地になっていました。

しかし、委任統治というのは、その土地の住民が独立できるようになるまで国連が別の国（この場合はイギリス）に統治を委任するというものです。どこかまったく別

パレスチナ人の領土の変遷

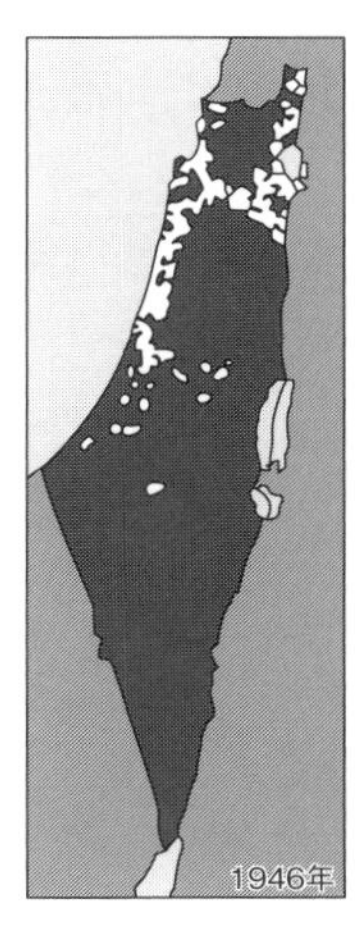

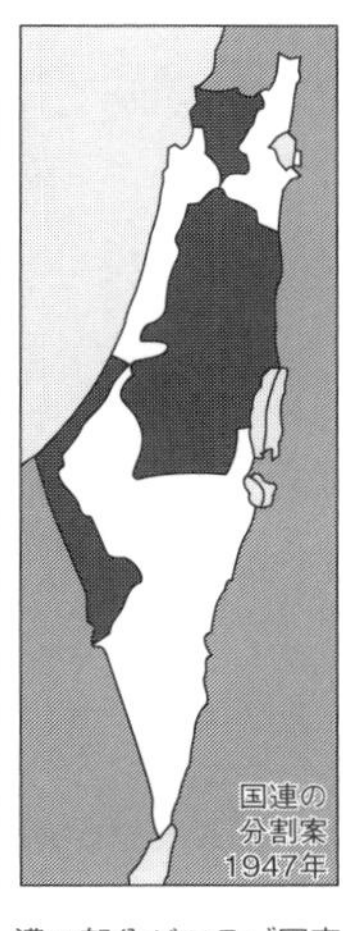

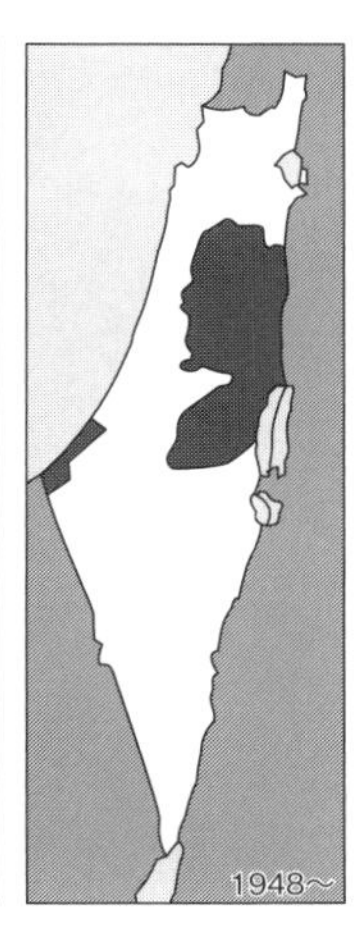

濃い部分がアラブ国家、
白い部分がユダヤ国家

の地域の人々の国を創るために、委任統治システムがあるのではありません。アドホック委員会は、分割案は国連憲章違反である、国際法にも違反している可能性があるので、国際司法裁判所に諮（はか）るべきである、つまり、法的に違法だと結論づけます。また、経済的には、ユダヤ国家は良いが、アラブ国家は持続不可能になると指摘しました。

　さらに、アドホック委員会は、ヨーロッパのユダヤ人難民問題は関係当事国が可及的速やかに解決しなければならないが、それをホロコーストとなんら関係のないパレスチナ人に代償を支払わせる形で、パレスチナの地にユダヤ人の国を創って解決しようなどいうのは、政治的に、端的に言って不正（unjust）であると言い切っています。そして、こんな分割案は採択されたとしても機能しない（unpractical）と断言しました。

パレスチナ分割は、国連憲章違反であり法的に違法、アラブ国家は経済的に持続不可能、政治的には不正――これがアドホック委員会の結論です。ところが、アドホック委員会がこのように結論づけた分割案が、特別委員会で可決され、総会にかけられて、ソ連とアメリカの多数派工作によって賛成多数で可決されてしまいます。

七十六年後の今、振り返れば、まさにこのアドホック委員会の結論こそ、正しかったと分かります。こんなことは機能しないとアドホック委員会が断言したとおりになりました。そして、今、第二のジェノサイドが起きてしまった。第二次世界大戦後、発足したばかりの国際連合は、誕生してわずか数年で、自らの憲章の精神を裏切る決議を行ったということです。

「アラブは分割案を受け入れなかった」などと言われますが、アドホック委員会のこの結論を見れば、なぜアラブ人がこんな不正な分割案を受け入れて、自分たちが暮らす土地にヨーロッパのユダヤ人の国を創ることに同意しなければいけないんだと、そう思って当然ではないでしょうか。

この分割案が採択されたことに対して、のちにイスラエルの初代首相となるシオニズムの指導者、ベングリオンは何と言ったでしょうか。

地図上のアラブ国家の部分に住むのはほぼ一〇〇パーセントアラブ人ですが、ユダヤ国家の部分に住むユダヤ人は六〇パーセント程度で、残り四〇パーセントはアラブ人です。

ベングリオンは、「たとえユダヤ国家ができたとしても、ユダヤ人の人口が六割では、安定的かつ強力なユダヤ国家にはならない」と言いました。言い換えれば、安定した強力なユダヤ国家にするためには、ユダヤ国家の領土にいるアラブ人を可能な限り排除しろということです。つまり、民族浄化の教唆(きょうさ)です。

パレスチナを襲った民族浄化──「ナクバ(大災厄)」

国連総会がパレスチナの分割を決議した四七年十一月末から、四八年五月のイスラエルの建国を挟んで四九年の年明けまで、一年以上にわたり、パレスチナの各地で、パレスチナ人に対する民族浄化の嵐が吹き荒れることになります。

一九四八年四月九日、エルサレム郊外にあるデイル・ヤーシーンというパレスチナ人の村で、老若男女を問わず村民百人以上が集団虐殺されるという出来事が起きました(女子学生たちは殺される前にレイプされました)。イルグン・ツヴァイ・レウミとレヒというユダヤの民兵組織が行った虐殺です。イルグンのリーダーであるメナヘム・ベギンはのちにイスラエルの首相となり、エジプトのサダト大統領と和平条約を結んだことでノーベル平和賞を受賞することになる人物です。

この事件の直後、虐殺の首謀者たちは事件の隠蔽を図るどころか、記者会見を開き、内外の記者に対して、自分たちがアラブ人二百数十人を殺したと、犠牲者の数を倍増して発表します。これがパレスチナにとどまるパレスチナ人の運命だ、というプロパガンダです。事件はパレスチナの内外に一斉に報じられました。この事件後、パレスチナの人々は、ユダヤ軍、イスラエル建国後はイスラエル軍が自分たちの村や町に迫ってきたら、とるものもとりあえず、着の身着のまま逃げることになります。

虐殺首謀者のプロパガンダもあって、長らくこのデイル・ヤーシーン事件が当時の民族浄化を代表する集団虐殺と思われていたのですが、現在では、パレスチナの各地

ナクバ（1948年）

ナクバによって村を追われたパレスチナ人たち　写真：ロイター／アフロ

でデイル・ヤーシーンを上回るものも含めて、多数の集団虐殺が起きていたことが分かっています。

こうして一九四八年、イスラエルはパレスチナ人に対して意図的な、組織的かつ計画的な民族浄化を行いました（ダーレト計画）。七十五年前にパレスチナ人を襲ったこの民族浄化、祖国喪失の悲劇を、アラビア語で**「ナクバ」**と言います。「大いなる災厄」という意味です。

そこにいたら殺される、妻や娘や姉妹がレイプされる、そういう差し迫った恐怖に駆られてみんな逃げたけれども、一旦逃げて国境を越えてしまった者たちは、七十五年経っても、孫どころではなくひ孫、その次の世代になっても、故郷に還ることができないでいます。

彼らは、安全な状態になったら戻ってこようと思っていたのです。だから逃げたのです、家の鍵を持って。もし孫の代になってすら村に帰ってこられないと分かっていたら、殺されてでも踏みとどまって闘っていた、と言う人は多いです。

イラン・パペという、イスラエル出身の歴史家が『パレスチナの民族浄化』（法政大学出版局）という本を書いています。彼は反シオニストのユダヤ人です。

パレスチナ人は戦争によって難民になったのでは決してない、とパペは断言します。アラブ人が多数を占めるパレスチナに、ユダヤ人が圧倒的多数を占めるユダヤ国家を創るとすれば、パレスチナの民族浄化は不可避だった。つまり、シオニズムというプロジェクトには、パレスチナの民族浄化が本質的かつ不可避的にはらまれていたのだということを、この本の中で論証しています。

パペはイスラエルのハイファ大学の教員でしたが、シオニズムを批判する姿勢が問題視され、教授会でパペの大学追放決議がなされます。その時は世界的に反対署名が集められて追放は免れたのですが、家族の命の保証はないというような脅迫が及ぶようになり、イギリスの大学に移りました。彼はイスラエルのユダヤ人として、イスラエルの中から、この植民地主義的侵略によって創られたアパルトヘイト国家イスラエルを変えようとしましたが、叶いませんでした。

イスラエルが建国された同じ年、一九四八年の十二月十日に、国連総会で世界人権宣言が採択されます。その第十三条第二項には「すべての人は、自国その他の国をも立ち去り、及び自国に帰る権利を有する」と書かれています。つまり、自分たちの国に帰るのは基本的人権だということです。

世界人権宣言が採択された翌日、国連総会は総会決議194号を採択します。その中で、イスラエル建国によって難民となったパレスチナ人は、即刻自分たちの故郷に帰る権利がある、帰還を希望しない難民に対しては、イスラエルは彼らが自分たちの故郷に残してきた財産を補償するように、と述べられています。パレスチナ難民が、イスラエルとなってしまった自分たちの村や町に帰るのは彼らの基本的人権であり、国際社会も認めるパレスチナ人の民族的な権利であるということです。

しかし、パレスチナ難民は七十五年経っても、孫、ひ孫の代になっても、故郷に帰れないでいます。イスラエルが彼らの帰還を現在まで認めていないためです。認めないどころか、イスラエルによる民族浄化は形を変えながら、今日までずっと続いています。ナクバは七十五年前に起きて、終わってしまった過去の出来事ではなく、今に至るまで続く現在進行形の事態です。

イスラエル国内での動き

今までのことをまとめると、ユダヤ国家イスラエルの建国は、レイシズムに基づく植民地主義的な侵略であるということ、そして、パレスチナ人を民族浄化することによって、ユダヤ人によるユダヤ人のためのユダヤ人至上主義国家がパレスチナに創られたということです。その暴力は建国以来、現在に至るまでずっと継続しています。

これはハリウッドで制作されるホロコーストをテーマにした映画ではまったく語られることのない、イスラエルという国についての歴史的事実です。ユダヤ人が祖国を持った結果として、パレスチナ人は第二のユダヤ人、現代のユダヤ人にされてしまったのです。

そして、ヨーロッパ・キリスト教社会における歴史的なユダヤ人差別と、近代の反ユダヤ主義の頂点としてのホロコースト、その責任を負っているはずの西洋諸国は、その責任を、パレスチナ人を犠牲にすることで贖ったということになります。パレスチナ人に自分たちの歴史的犯罪の代償を払わせ、今に至るまでパレスチナ人に対するイスラエルの犯罪行為をすべて是認することによって、西洋諸国はその歴史的不正をさらに重ねています。

今から七十五年前の一九四八年にパレスチナを襲った民族浄化の暴力、「ナクバ」。今、イスラエルの閣僚や国会議員は、ガザのパレスチナ人に対してもう一度ナクバを味わわせてやると公言しています（アヴィ・ディフテル農相、アリエル・ケレル国会議員など）。ガザからパレスチナ人を完全に民族浄化するという意味です。

イスラエルに、ゾフロット（Zokhrot）というNGOがあります。ヘブライ語で「彼女たちは記憶している」という意味で、反シオニストの団体です。

シオニズムのナショナル・イデオロギーに基づく歴史観では、イスラエル建国は、ユダヤ民族にとって栄光の瞬間です。だから、イスラエルでは、パレスチナ人に対する暴力、民族浄化によって自分たちの国が創られたなどという記憶は徹底的に抑圧されています。そのイスラエルにあってゾフロットは、自分たちの国がパレスチナ人に対するどのような暴力で創られたのかという、パレスチナ人のナクバの記憶を、イスラエルの国語であるヘブライ語で、イスラエルの歴史の中に記録し、イスラエルのユダヤ人の記憶に刻み込もうという運動をしている人たちです。

イスラエルの学校の歴史教育では、当然のことながら「ナクバ」など出てきませんが、心ある先生が自主的にナクバを子供たちに教えることができるよう、ゾフロットはナクバを教えるための歴史の副教材を制作し、どのように授業をしたらよいかのワークショップも行っていました。しかし、教育大臣による通達でゾフロット制作の教材を使うことは禁じられました。

さらに、二〇一一年には通称「ナクバ法」と呼ばれる法律がイスラエル国会で制定されました。イスラエルの人口の二割はパレスチナ人ですが、この法律によって、イスラエルではナクバを公的に悼むことが禁じられたのです。

ガザはどれほど人口過密か

一九四八年、パレスチナの民族浄化の結果、七十五万人以上のパレスチナ人が故郷を追われ、ヨルダン川西岸やガザなど占領を免れたパレスチナはじめ、レバノン、シリア、ヨルダンやエジプトなどの周辺アラブ諸国に難民として離散します。ガザには当時、八万人の住民がいました。そこに、倍以上の十九万もの人たちが、周辺地域を

ナクバ（1948 年）で難民となったパレスチナ人

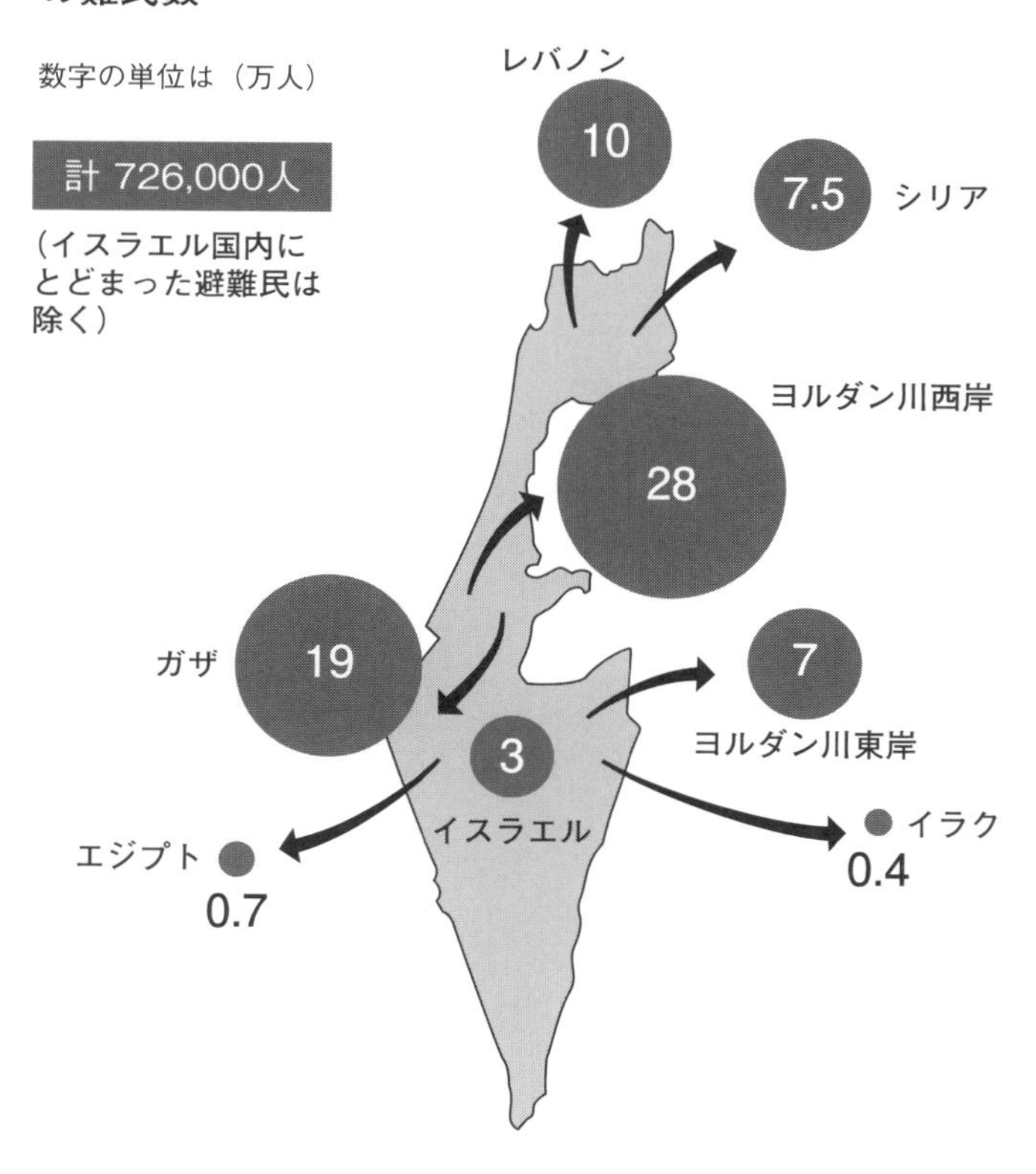

UN Economic Survey Mission for the Middle East (1950)をもとに日本語版を作成

追われ、難民としてガザにやってきました。

巻頭のガザ地区の地図に、当時、国連が彼らのために作った難民キャンプが記載されていますが、ガザ自体が一つの大きな難民キャンプみたいなものです。

ガザの面積は、約三六〇平方キロメートルです。東京都二三区の六割ぐらいです。現在の人口は二三〇万人。ガザは「世界で最も人口密度の高い土地」と言われますが、二三〇万の人口を三六〇で割ると、一平方キロあたり六三〇〇人です。日本の都市の人口ランキングでいくと、関西でいえば八尾市、首都圏だと藤沢市ぐらいです。

今、世界で最も人口密度の高い都市は、フィリピンのマニラです。一平方キロあたり四万六〇〇〇人です。日本で一番人口密度が高いのは、豊島区の一平方キロあたり二万三〇〇〇人です。

そう考えると、ガザの一平方キロあたり六三〇〇人とは、「世界で最も人口過密なところ」とは全然言えませんよね。ですので、報道で「ガザは世界で最も人口過密」と言っている番組は信用しないでください。番組を制作するにあたって電卓で計算すらしていないということです。

では、「人口密度が高い」のは間違いかというと、そうではありません。

一九四八年、海岸沿いにあるビーチ難民キャンプに、二万三〇〇〇人がやってきま

ガザ・難民キャンプの人口の変遷

難民キャンプ	現在（2023年7月）	1949年
ビーチ	90,713/0.52km^2	23,000
ジャバリヤ	116,011/1.40km^2	35,000
ラファ	133,326/1.23km^2	41,000

出典：2023年の難民数はUNRWAサイトより。
1949年の難民数は下記サイトより。
https://www.jewishvirtuallibrary.org/gaza-strip-refugee-camp-profiles#a

ガザの人口密度

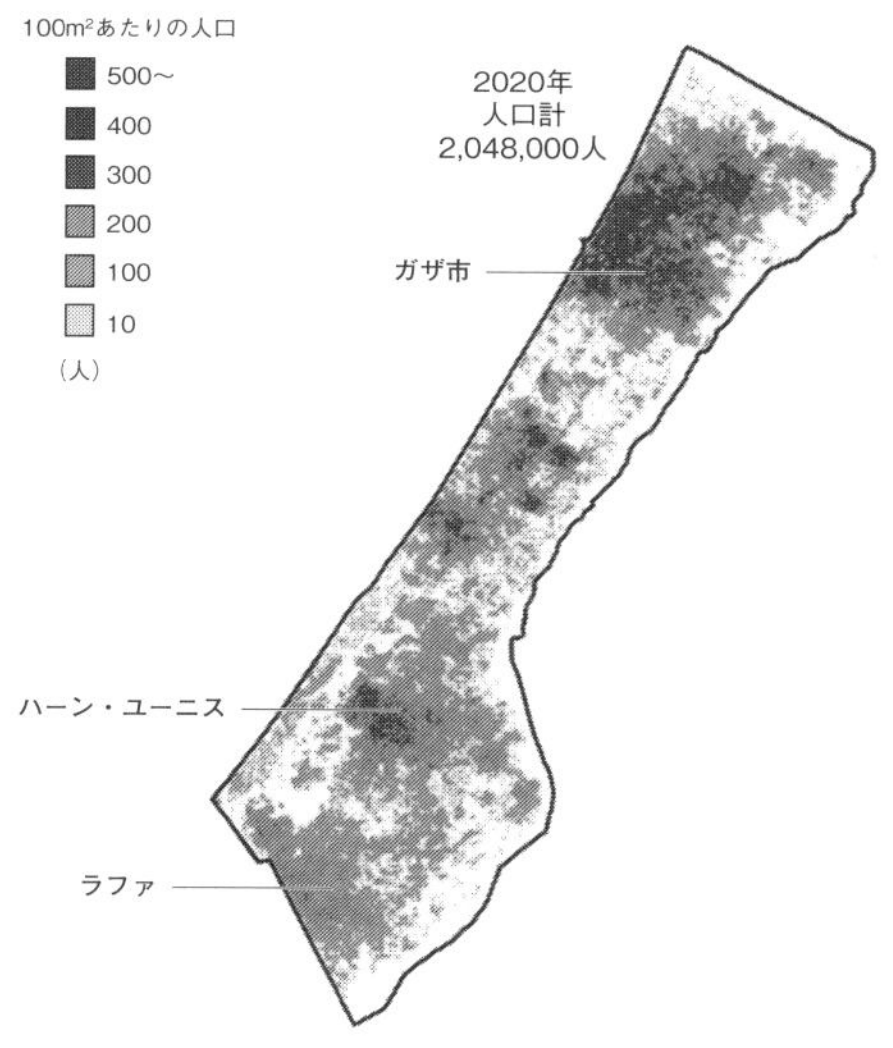

©Leo Delauncey/MailOnlineの図版をもとに日本語版を作成

した。この場所の面積は約〇・五平方キロなので、一平方キロに換算すれば五万人を超えています。この当時すでに、今のマニラの四万六〇〇〇人をはるかに凌駕しています。ジャバリヤ難民キャンプ（一・四平方キロ）には、三万五〇〇〇人が来ました。

そこから七十五年が経ち、現在の人口はどうなっているかというと、ビーチ難民キャンプは〇・五平方キロメートルに九万七〇〇〇人、一平方キロに換算して十八万人です。もはや想像がつかない過密さですね。ジャバリヤは三万五〇〇〇人だったのが、現在、十一万六〇〇〇人、一平方キロあたり八万二〇〇〇人です。

つまり人口過密というのは、ガザ地区全体というよりも、P67下図のような形で、キャンプ及びその周辺地域に人口が集中しているのです。ガザ市の人口は五十九万人、ガザ地区北部全体で百万人以上の人たちが住んでいます（人が住んでいないところは農地などです）。そして、一平方キロあたり二十万近い人たちが住んでいる難民キャンプのような場所が、今、無差別に攻撃されているのです。

ハマースの誕生

今回の攻撃を主導したハマースとは、どのような組織なのでしょうか。

先ほど申し上げげた、一九四八年の民族浄化で、七十五万人以上のパレスチナ人が難民化します。その九年後の一九五七年、アラファト議長率いる民族解放運動組織「ファタハ」が誕生します。

一九六七年、第三次中東戦争でイスラエルは、一九四八年の戦争では占領することができなかった、聖地のある東エルサレムとヨルダン川西岸地区、ガザ地区、エジプトのシナイ半島とシリアのゴラン高原を一挙に占領します。

ナクバから二十年近く、パレスチナ人は国際社会が自分たちを故郷に帰してくれると信じてずっと、難民キャンプのテントで暮らしていたわけですが、それとは真逆に、イスラエルの占領はさらに拡大することになってしまいました。歴史的パレスチナの全土がイスラエルに占領されてしまったのです。国連、あるいは国際社会は、自分たちを気の毒な難民と思ってテントや食料を支給してくれるけれども、この歴史的な不正を政治的に解決し、自分たちを故郷に帰す意思はないんだと、この時、パレスチナ人は痛感します。

一九六七年のイスラエルによる占領をきっかけに、国際社会は何もしてくれない以上、自分たちの手で祖国を解放するしかないと思った者たちが、難民キャンプで生まれ育った第二世代を中心に、マルクス・レーニン主義を掲げるＰＦＬＰ（パレスチナ解放人民戦線）やＤＦＬＰ（パレスチナ解放民主戦線）のような武装解放組織を立ち上げます。

そこからさらに二十年が経ち、一九八七年にパレスチナで第一次インティファーダが起きます。国際社会は「イスラエルの占領は違法」としながら、占領の継続に対して何ら実効的な措置はとらない。二十年に及ぶ占領下で鬱積した民衆の怒りが爆発したのがインティファーダです。自分たちの手でイスラエルと闘おうと、子供たちもフル装備のイスラエル兵に石を投げ、「石の革命」と言われました。女性たちも石を砕いたり、闘う若者を匿ったりしてインティファーダに参加します。

この時、ガザで、**イスラーム主義を掲げる民族解放組織「イスラーム抵抗運動（略称ハマース）」**が誕生します。

つまり、ハマースというのは、ファタハやＰＦＬＰ、ＤＦＬＰと同じように、占領された祖国を解放する民族解放運動の組織であり、ＰＦＬＰがマルクス・レーニン主義を掲げるのに対して、ハマースはイスラーム主義を掲げる、そういう団体です。

オスロ合意からの七年間

一九九三年、**オスロ合意**が調印されます。オスロ合意とは、イスラエルとパレスチナ解放機構（ＰＬＯ）が相互承認し、イスラエル軍は占領しているヨルダン川西岸やガザから漸次撤退し、パレスチナが暫定自治を始める、そして向こう五年の間に「最終的地位」について合意し、公正で永続的な包括的和平を実現する、というものでした。九四年にはパレスチナ自治政府が発足し、暫定自治が始まりますが、合意から七年後の二〇〇〇年、第二次インティファーダが起こります。

第二次インティファーダが始まる三カ月前、私はパレスチナを訪れました。オスロ合意から七年、二国家解決の枠組みで、この地域もようやく平和になると世界的に言われていたけれども、実際に現地に行ってみると、パレスチナ自治政府が置かれた西岸のラーマッラーでさえ、パレスチナ人の土地が日々奪われ、入植地がどんどん造られているのを目の当たりにしました。

一九六七年の第三次中東戦争での占領から一九九三年のオスロ合意まで、二十六年間。一九九三年のオスロ合意から二〇〇〇年の第二次インティファーダまで、七年間です。そのわずか七年間で、入植者の数はそれまでの一・五倍になっています。凄まじい勢いで入植地が拡大し、入植が進められていました。

本来、オスロ合意に則るならば、ガザと西岸にパレスチナの独立国家を創るわけですから、それまでイスラエルが造った入植地は撤退させなければいけないはずです。でも、イスラエルがやっていたのは、それとは真逆のことでした。

報道では、イスラエルと、パレスチナ自治政府を担っているファタハは二国家で平和共存していこうとしているのに、ハマースがイスラエル憎しで和平に反対しているとされています。パレスチナ全土の解放を掲げるハマースが二国家解決を謳うオスロ合意に反対していたのは事実ですが、でも、入植地建設の拡大が端的に示しているように、そもそもイスラエルには、たとえ西岸とガザのミニ国家であろうと、主権をもったパレスチナの独立国家など創らせるつもりなど毛頭なかったのです。

現在、西岸はファタハが自治政府として統治していますが、イスラエルは自治政府に、いわば占領の下請けをやらせています。ガザを統治するハマースが住民を抑圧していると批判されますが、住民を抑圧しているのはファタハの自治政府も同じです。

西岸の住民は自治政府の批判はできません。イスラエルの占領に対する抗議も自治政府がとり締まります。今、西岸では、自治政府がある方が独立を達成するには有害だという声が多数を占めています。

世界が「和平プロセス」と呼んでいたオスロ合意からの七年間というのは、占領下のパレスチナ人にとっては、占領からの解放の夢、〝独立国家〟の夢が指の間から砂がこぼれ落ちるように日々遠ざかっていく、そういう絶望のプロセスでした。

その絶望が二〇〇〇年、第二次インティファーダとなって爆発しました。この時にはハマースだけではなく、ＰＦＬＰ（パレスチナ解放人民戦線）も、アラファト率いるファタハの戦闘員も、イスラエル領内に入って自爆攻撃などを行いました。

その後、二〇〇五年、ガザからイスラエルの全入植地が撤退し、これに伴いイスラエル軍も撤退します。イスラエルのシャロン首相（当時）は、これは和平のためだと言いました。しかし、ガザを撤退した入植者たちは、ヨルダン川西岸に新たに入植しました。さらに、入植者もイスラエル軍も撤退して、ガザにはパレスチナ人しかいなくなったので、ガザを封鎖し、この後起きるような全土を無差別に爆撃するということが可能になったのです。

民主的選挙で勝利したハマース

二〇〇六年、パレスチナ立法評議会選挙が行われます。日本で言えば総選挙に相当します。この選挙はEUの監視団なども来て、近来稀に見る民主的な選挙であったとお墨付きを与えられましたが、その選挙でハマースが勝利を収めます。

ハマースに投票した人は、イスラーム主義者やハマース支持者だけではありませんでした。十三年間ファタハが自治政府を担ってきたけれども、腐敗し、パレスチナ独立国家を創るために何もしない、だったらハマースにやらせてみようということで投票した人たちもたくさんいました。

ハマースは最初、自分たちだけで組閣しましたが、ハマースをテロ組織と見なすイスラエルやアメリカはハマースの政府を認めませんでした。それを受けてハマースは、ファタハのメンバーも入れて統一政府を作ります。ハマース憲章にはパレスチナ全土の解放が掲げられていますが、この時、アメリカのブッシュ政権に対して、「この統一政府を承認してくれるなら、オスロ合意に則って、ガザと西岸に主権をもったパレスチナの独立国家を創り、イスラエルと長期にわたって休戦条約を結ぶ準備がある」

とまで申し出ています。

それに対するアメリカの返事はどういうものだったか。

アメリカやＥＵ諸国は、ファタハのメンバーに軍事訓練を施し、アメリカは、当時のガザ地区のファタハの治安部門の責任者だったムハンマド・ダハラーンという人物に兵站（へいたん）（武器や食糧）を提供し、ハマースに対してクーデターを画策させます。かつて一九七三年、アメリカの裏庭であるチリに社会主義のアジェンデ政権ができた時、アメリカはピノチェト将軍を抱き込んでクーデターを起こさせましたが、それと同じことをガザで行おうとしました。ガザは、内戦状態になります。

ところが、アメリカやイスラエルの思惑に反して、この内戦に勝利したのはハマースでした。繰り返しますが、もともとハマースは民主的な選挙で政権与党になっています。そのハマースへの政権移譲を認めずに、アメリカはクーデターを画策しようとしたところ、機先を制して、ハマースがそれに勝利したのです。

「ガザを実効支配するイスラーム原理主義組織ハマス」などと聞くと、ＩＳ（イスラム国）のような暴力集団が武力でガザを制圧し、支配しているように思えるかもしれませんが、内実はまったく違うということです。

アメリカが仕掛けたガザでの内戦により、パレスチナは分裂します。以後、ガザのハマース政権と、西岸のファタハ政権という二重政権になりました。そして、アメリカやイスラエルがテロ組織とみなすハマースを政権与党に選んだパレスチナ人に対する集団懲罰として、二〇〇七年、**ガザに対する完全封鎖**が始まります。

それ以前からハマース締め付けのために、ガザは封鎖されていたのですが、ここにおいて全面的な封鎖となります。人間の出入域、物資の搬入・搬出、すべてをイスラエルが管理する。南の国境を管理しているのは、イスラエルと同盟しているエジプトですが、イスラエルの指示の下にあります。集団懲罰は、国際法違反です。

二〇一四年には統一政府を実現しようとする動きがありましたが、その後に五十一日間戦争が起きて、この話は潰れてしまいます。

五十一日間戦争というのは、直接的な契機となったのは、西岸でイスラエル人入植者の青年三名がパレスチナ人に殺害されたことです。イスラエルはこれをハマースによるものと主張し（ハマースは否定しています）、ガザに対する攻撃に発展しましたが、政治的には、この統一政府を作ろうとする動きを潰すためにあったということです。まさに「分断して統治せよ」という、帝国主義の論理そのままのことが行われているのです。

抵抗権の行使としての攻撃

これまでご説明したように、報道とは裏腹に、ハマースというのは、占領された祖国の解放を目指す民族解放の運動組織です。そして今回、二〇二三年十月七日にハマース主導によりガザのパレスチナ人戦闘員たちが行った奇襲攻撃は、占領軍であるイスラエル軍に対する抵抗として、国際法上認められている抵抗権の行使です。

占領下や植民地支配下の人々は、武力による戦いや抵抗も含めて、国際法上、抵抗権が認められています。ただし、その場合、きちんと兵士と分かる服装をすることや、占領軍や占領軍の兵士を攻撃の対象にすることなどの規定があります。

今回の攻撃についてパレスチナの情報サイトで報道されているものを読むと、まず、「ハマースによる攻撃」とは書かれていません。「ハマース主導の戦闘員たち」です。PFLPは今回の奇襲攻撃を支持するという声明を出しています。ハマースに主導された、イスラーム聖戦やPFLPなど、パレスチナ解放を掲げる複数の民族組織が参加した解放のための作戦です。

日本の報道では、ハマースがガザからイスラエル側に侵入し、音楽祭やキブツの民間人を残忍に殺害したとされました。ガザの戦闘員たちが、キブツを襲撃したのは事実ですが、彼らは、ガザ周辺のイスラエル軍の拠点十二カ所を攻撃しています。

キブツの襲撃、これは国際法違反であり戦争犯罪です。キブツの民間人を拘束し、ガザに連れ帰るという作戦ももともと計画されていたようですが、民間人を巻き込むことも戦争犯罪です。ハマースが作戦としてそれを行っているのは戦争犯罪ですが、まず狙ったのがガザ周辺の十二カ所のイスラエル軍基地であり、そこを占拠し、その後、駆けつけた治安部隊と交戦して、全員殺されている。だから、まさに死人に口なしです。そのことはまったく報じられず、キブツや音楽祭を襲撃して民間人を殺したことばかりが報道されます。

死人に口なしですが、生きている人間には口があります。

ヤスミン・ポラットさんという、イスラエル北部のキブツ在住の方がこの時の状況を証言しています。*彼女はこの日、キブツ郊外で行われていた野外音楽祭に参加しており、そこで襲撃に遭い、キブツに逃げ込みました。そして、戦闘員に見つかり、キブツの住人八人ぐらいが人質となっている家に連れて行かれましたが、戦闘員たちは人道的に自分たちを遇してくれたと語っています。

ポラットさんのインタビューは、イスラエルの国営ラジオ番組で放送されました。

おそらく、襲撃の生還者である彼女のインタビューを企画したラジオ局側は、正反対の話が聞けると思って依頼したのでしょうが、その期待を裏切って、彼女が証言したのは、パレスチナ人の戦士たちが非常に人道的だったということでした。ヘブライ語のできる戦士が、僕たちはあなたたちをガザに連れていくつもりだけれども、絶対に殺さないから安心してくれと言い、折々に水をくれて、家の中は停電していて暑いからと、外に涼みに連れ出してくれたとも語っています。

そこにイスラエルの治安部隊が到着するなり一斉射撃をしてきた。外で涼んでいた人質たちは、戦闘員もろとも、イスラエルの治安部隊に殺されたと彼女は証言しています。その後、パレスチナ人戦士の一人が投降を決意して、彼女を人間の盾にして、彼女がヘブライ語で外にいるイスラエル軍兵士に攻撃しないでくれと言って外に出たことで、彼女もその戦士も命拾いしました。ところが、まだ人質が残っていたその家に治安部隊が砲撃し、家はこっぱ微塵になり、中にいた人質もみな殺されてしまったそうです。

イスラエルにとって非常に都合の悪いことを彼女は証言したわけです。このインタビューは、国営放送のサイトから削除されてしまったそうですが、これを録音していた人たちがＳＮＳで拡散しました。

ポラットさんは、ハマースに惨殺されたキブツの住人の写真として公開されているものは、イスラエルの治安部隊に殺されたものであること、そして、殺された犠牲者として紹介されている写真の中には、パレスチナ人兵士たちのものもあると証言しています。

十月七日の攻撃について、イスラエルのメディアは、残忍で血に飢えたテロリストの所業と報じました。でも、そうではない。

考えてみてください。彼らは片道切符だと分かった上で行っているんです。祖父母、あるいはその両親の代に民族浄化の暴力で難民となってガザにやって来てから、自分たちの故郷はすぐ向こう、目と鼻の先なのに、行くことができない。故郷に帰ることができないまま亡くなった祖父母に代わって、その故郷の土を自分の足で踏む、そのために、何時間か後に自分が殺されることを覚悟で、解放のためにガザのフェンスを越えて行っているんです。先ほどご紹介したイスラエルのユダヤ人の歴史家イラン・パペは、彼らの「この勇気を称賛する」と言っています。

イスラエルの大統領はパレスチナ人戦士たちを「ハマス」と一括りにした上で、彼らを「人間の姿をした化け物」（human monster）だと言いました。イスラエル国防相は「人間の姿をしたけだもの」（human animal）と言っています。

もちろん民間人を襲撃し、彼らを人質に取るという作戦に関しては是認できないものがある。たとえ彼らが予備役の兵士で、これらのキブツが、イスラエル軍がガザを攻撃する際の前哨基地として使われているのだとしても。

しかし、歴史的文脈を踏まえたならば、彼らがユダヤ人憎しで民間人を殺しまくるテロリストだというのは、事実とまったく異なるということです。民間人を巻き込む作戦の是非は厳しく問われなければならないけれど、この軍事攻撃自体は占領された祖国解放のために実行されたものです。

イスラエルが躍起になって否定したいのがこのことです。祖国を占領から解放するために、ガザのパレスチナ人の若者たちが死を覚悟して戦っている、大義ある戦いを行っているというこの歴史的文脈こそ、イスラエルにとって最も都合の悪いことだからです。それは、自分たちがどのようにして国を創ったか、その血にまみれた暴力的な経緯を明らかにするものだからです。なので、その歴史的文脈はなるたけ消し去って、「血に飢えたテロリスト・ハマス」がＩＳ以上の暴力を行っているのだという情報をまず流したのです。

＊ https://electronicintifada.net/content/israeli-forces-shot-their-own-civilians-kibbutz-survivor-says/38861

「封鎖」とはどういうことか

ガザが封鎖されていることはメディアでも語られますが、十六年以上にわたる完全封鎖がどういうものか、そこに生きている人間にとっていったいどのような暴力なのか、ということはまったく報道されていません。封鎖とはどういうものなのか、みなさん分かりますか。

難しいのは、戦争のような直接的暴力であれば、物理的な破壊を伴うので、その暴力性がすごく「分かりやすい」。爆撃された、建物がこんなに破壊された、人間がこれだけ死んだ、こんなにむごたらしく殺されたということが一目で分かる。

しかし、封鎖というのは構造的暴力です。実は戦争における直接的暴力と同じぐらい致命的な暴力なのですが、爆撃などの直接的暴力と違って、それによって直接、人が死ぬわけではありません。なので、その暴力性が単純には分からないんです。人間や物資の出入域、搬入・搬出が著しく制限されている、経済基盤が破壊され、失業や貧困、栄養失調が起きている……その一つ一つは、確かにつらいことではあるのだけれど、それが、人間を、このような越境攻撃にまで駆り立てるような暴力であるとは、なかなか分からない。

直接、人が死ぬわけではない、と言いましたが、ガザを出て、西岸やエジプトなどの病院に行って適切な治療を受けたら生き長らえることができた人が、イスラエルが出域を認めないためにガザにとどめ置かれて、出域許可が下りるのを待ちわびながらガザの病院で亡くなっています。亡くなった原因は心臓病やがんなど病気によるものかもしれないけれど、その実態は、封鎖で殺されているんです。だから、封鎖によって、人が死んでいないわけではありません。

ガザは漁業が基幹産業だと言いました。

沖合のガザの領海内で天然ガス田も発見されています。オスロ合意で認められたガザの領海は二十海里ですが、イスラエルはその天然ガス田を自分のものとしたいがために、六海里ぐらいの地点にイスラエルの哨戒艇(しょうかいてい)が出動していて、出漁する漁師たちを銃撃したり、裸にして海に投げ入れたり、彼らの生計の糧である漁船を没収したり、イスラエルの刑務所に連行したりということをする。そのため漁師たちは沖合に漁に出ることができず、近海で小魚まで獲り尽くしてしまって、近海にも魚がいません。なので、ガザの漁師はほとんどが失業しています。海があるのに魚が獲れない、食べられないという状況です。

ガザの農産物も、先ほども言いましたように、どれだけ一所懸命作っても、ガザの外に出荷することができません。

完全封鎖されたガザは「世界最大の野外監獄」と言われます。完全封鎖というのは、単に物が入ってこなくて物不足になるとかいう、そんなレベルの話ではありません。占領者が自らの都合のいいように、なんでも自分たちの意のままに決めているということです。

二三〇万の人間が、占領者に服従しなければならない、そういう状況に生まれてからずっと置かれている。今、この講演会場には大学生の方々がたくさんおられますが、ガザの同じ年代の若者たちは物心ついてから、ずっとガザに閉じ込められているんです。それを世界はこの十六年見捨てているわけです。この世界最大の野外監獄の中で、パレスチナ人が「生き地獄」と言われるような状況の中で苦しんでいても、世界は痛くも痒くもない。ずっと放置している。何か凄まじい攻撃が起きた時だけ話題にして、停戦したら、もう忘れる。その繰り返しです。そこでイスラエルによる戦争犯罪が行われても、問題にしない。

二〇〇八ー〇九年に起きた最初のガザに対するイスラエルの攻撃の後、国連が調査団を派遣して、南アフリカのリチャード・ゴールドストーンというユダヤ系の弁護士が代表になって非常に公正な調査をしました。この時の調査結果は、「双方に戦争犯罪は認められるけれども、イスラエルの方が圧倒的である」というものでした。

その戦争犯罪はどのように裁かれたのでしょうか。まったく裁かれていません。その後の攻撃に至っては、調査すらされていません。ガザのパレスチナ人はこのような状況にずっと置かれています。生殺与奪の権利を占領者が握っていて、数年おきに大規模な攻撃があり、今の攻撃を生き延びても、次の攻撃で殺されるかもしれない。何のために生きているのでしょうか。

ガザで起きていること

汚水処理施設が稼働していないので、二三〇万の人口の生活排水が、トイレの排水から何から何まで未浄化のまま大量に地中海に毎日毎日、この間ずっと排水され、海が汚染されています。渓谷流域の地下水も汚染されています。

その結果、ガザの水道水は現在、九七パーセントが飲料に不適です。ごくごくわずかの経済的に恵まれた人は、浄水用のフィルターやミネラルウォーターを買えるけれども、そうでない人、圧倒的多数の人々は、体に悪いと分かっていても、水を飲まなかったら死んでしまうので、汚染された水を飲むしかない。生きるための水がガザの人々の命を内側から蝕みます。そして、今、その水すら手に入らないという状況です。

こうしたことは今に始まったことではないんです。これまでずっと、ガザはそういう状況だったんです。ガザの人々にすごく病気が多いというのは、この汚染された水を飲料水にしている結果だと言われています（汚染された水で顔や体を洗うので、皮膚病や眼病も多いという報告もあります）。

さらに、経済基盤が破壊され、ガザの失業率は四六パーセント、世界最高です。若者に至っては、ほぼ失業している。ガザの世帯の六割が満足に食事を摂れない、乳幼児の過半数が栄養失調です。お母さんのお腹にいる時から、母親自身が十分な栄養を摂れていないので、生まれた時から栄養失調です。

食べるものもない。住民の八割が国連をはじめとする国際機関の人道援助に依存していますが、良質なタンパク質でカロリーを賄うことができないので、配給される安い小麦粉や油、砂糖を大量に摂取することによって、なんとか生命維持のためのカロリーを賄っています。

ガザの洪水

写真は2013年12月にガザ北部で起きた洪水　写真：ロイター / アフロ

そういう食生活が続いたらどうなるか。糖尿病、生活習慣病になります。だから今、糖尿病がガザの風土病になっています。

電気もない。私が二〇一四年にガザへ行った時は、一日のうち八時間から十六時間が停電でした。先ほど写真を見ていただいたように、ガザの街は日本の都市と同じような近代的な都市なんです。高層ビルもあります。そういうところで電気がない、一日数時間しか電気が供給されない状況を想像してみてください。生活できないですよね。

近代医療は電気に依存しています。保育器や手術もそうです。人工透析は、必要な時間の半分しかできません。短期的に見ればなんとか持ちこたえているけれども、長期的に見たら明らかに寿命を縮めています。

地中海式気候なので冬は雨が降ります。ちょっとでもまとまった雨が降ると、封鎖のせいで燃料がなく、排水ポンプが稼働しないので、ガザの低地部分は洪水になります。洪水はガザで毎冬、繰り返されています。「gaza flood」で画像検索してみてください。今年の冬の写真が出てくると思います。

生きながらの死

大量の失業者が街にあふれている。ドラッグ依存症ものすごく拡大しています。次頁の写真は、トラマドールという鎮痛剤に覚醒効果があることが分かって依存症が急増しているので、「ドラッグに手を出すな、トラマドールに手を出すな」という啓発ポスターです。

レバノンのベイルート・アメリカン大学のサリ・ハナフィさんというパレスチナ難民二世の社会学者は、パレスチナの状況を「スペイシオサイド（空間の扼殺）」と名付けています。スペース（空間）＋サイド（殺すこと）で、「空間を殺す」という意味です。ここで言う「空間」とは、人間が人間らしく生きることを可能にする、そういう生の条件のメタファーです。戦争のように直接的に人を殺すのではなくても、人間らしく生きることを可能にする条件をことごとく圧殺していくことによって、彼らがそこで、人間らしく生きることを不可能にしてしまう。

二〇一四年の五十一日間戦争の時に、ハマースは無条件停戦案を拒否しました。封鎖解除を条件にしない停戦は受け入れることができない、と言って。それに対して日本や国際社会の報道は、ハマースを非難しました。「せっかくイスラエルが停戦を提案したのに、ハマースが自分たちの条件に固執してそれを蹴ったがために空爆が続き、ガザのパレスチナ人が殺されてい

「ドラッグに手を出すな」という啓発ポスター

る」と。ガザのパレスチナ人を殺しているのはイスラエルなのに。

その一週間後、ガザの市民社会の代表たちが世界に向かって英語で、「ガザに正義なき停戦はない」というタイトルのメッセージを発信しました。その中で、「封鎖解除なき停戦を受け入れろというのは、この攻撃が始まる以前の状態（すなわち七年間続いた封鎖の状態）にただ戻れということで、それは我々にとって生きながら死ねというのに等しい」と訴えました。完全封鎖のもとで生きることは、人間にとって「生きながらの死（living death）」であるということです。

最初の攻撃（〇八－九年）の後、サラ・ロイさんというガザの政治経済研究の世界的第一人者が、「世界は六十年かけて、難民を再び難民に戻すことに成功した」ということを書きました。サラ・ロイさんはユダヤ系アメリカ人で、ご両親はともに第二次世界大戦のホロコースト生還者です。

「六十年かけて、難民を再び難民に戻すことに成功した」とはどういうことか。

最初の攻撃から六十年前の一九四八年、ナクバによって、七十五万人以上のパレスチナ人が難民となり、国連が提供する難民キャンプでの生活を余儀なくされました。その彼らはどうなったか。二十年が経っても、国際社会は何もしてくれない。祖国解放のためには自分たちで銃を持って戦うしかないと、次々に解放運動が生まれた。当時、六〇年代後半から七〇年代初頭にかけて、パレスチナ・ゲリラによるハイジャックが頻発しました。これはお前たちの問題なんだ、世界が政治的解決をすべき問題なんだと、世界の市民の喉元に銃を突きつけてようやく、世界は問題の解決に動き出しました。

一九七四年、アラファト議長は国連に呼ばれて有名なスピーチをします。「今日私はオリーブの枝を携えてやって来ました。どうか私の手から、このオリーブを落とさせないでください」

オリーブは平和の象徴です。対話によって問題を平和的に解決するために、自分は国連にやって来たけれども、我々に再び銃を取らせるかどうかはあなたたち次第だということです。

一九八七年の第一次インティファーダでも、占領下に二十年置かれていた者たちが、子供たちまで手に石を握りしめて、イスラエル軍に立ち向かっていきました。

パレスチナ人は銃を持ち、あるいは石を持ち、自らの運命を自ら闘って切り開く、歴史の主体、政治の主体として立ち上がったのです。

しかし、ガザは封鎖され、「世界最大の野外監獄」となり、あまつさえその全土が無差別に爆撃され、破壊され、ガザのパレスチナ人は再び、配給がなければ生きていけない難民の状態に戻ってしまった――「難民を再び難民に戻すことに成功した」とは、そういう意味です。一旦は自分たちの運命を自分たちの手で切り開いていく、そんな政治的主体になったにもかかわらず、占領と封鎖がうち続くことによって、ガザのパレスチナ人は再び、国際社会の人道支援がなければ今日を食いつなぐこともできない、そういう存在にさせられてしまいました。

海の汚染がイスラエルにまで及ぶようになり、去年ぐらいから多少電気が供給されて汚水処理施設も一部稼働し、それまで全面的に遊泳禁止だったのが、昨年あたりから一部のビーチで泳げるようになったと言いますが、ビーチの大半は依然、泳いだら感染症になって死の危険があるぐらいまで汚染されています。だけど、電気も来ないので、夏はエアコンも扇風機も使えない。だから体に悪いと分かっていても、海に行くしかないんです。

現在、ガザについて報道される時、「人道危機」という言葉がさかんに使われます。でも、ガザの人道危機とは、イスラエルが、パレスチナ人の政治的な主体性を抹殺し、祖国の解放だとか独立国家だとか難民の故郷帰還といった政治的な声を上げさせないようにするために、意図的かつ人為的に創り出したものです。

人道的危機はあります。でも、それはガザ、そしてパレスチナの問題のすべてではありません。パレスチナ問題は政治的な解決を求める政治的問題です。だのに、巨大な人道危機が絶えず創り出されることで、人道問題にすり替えられているのです。

帰還の大行進

ナクバから七十年目の二〇一八年、三月末から一年半以上にわたり、ガザで**「帰還の大行進」**という一大デモが継続的に行われました。ハマースだけでなく、様々な団体が大同団結して、住民に参加を呼びかけました。

この行進で彼らが訴えたことは三つ。自分たちの民族的権利である**帰還の実現**と、国際法違反であるガザ**封鎖の解除**、そして、同年五月に予定されている、トランプ大統領が決定した、アメリカ大使館のエルサレム移転に対する反対です。これらのことを平和的な行進によって要求したのです。

若者たちの中にはタイヤを燃やしたり、境界フェンスの向こうのイスラエル兵に向かって石を投げたりする者たちもいましたが、基本的には非暴力のデモです。しかし、この平和的デモに対してイスラエル軍は、催涙弾や実弾で応じました。

帰還の大行進

2018年3月に始まった帰還の大行進で、負傷したパレスチナ人女性を運ぶ人々
写真：ロイター／アフロ

「帰還の大行進」は三月三十日の「土地の日」に始まりました。一九七六年のこの日、イスラエル政府の土地収用に抗議するパレスチナ系市民のデモが官憲に弾圧され、死者も出ました。以来、この日は「土地の日」と呼ばれ、パレスチナ人の抵抗の記念日となっています。

この三月三十日からアメリカ大使館がエルサレムに移転する五月十四日までに百人以上の参加者が殺されました。しかし、そのことは、日本のメディアではまったく報じられませんでした。五月の十四、十五日だけで百人以上が殺されたのですが、日本ではこの時、「アメリカ大使館のエルサレム移転に抗議してガザで大規模なデモが行われ、百人以上が殺された」と、それだけが報道されました。

このデモがどういう文脈で行われているか、七十年も前から国際社会が認めているパレスチナ人の当然の権利である帰還の実現と、国際法違反である封鎖の解除を、平和的なデモで世界に訴えている、そのことについての報道もまったくなく、単にアメリカ大使館移転に反対してガザで抗議行動があったということしか報じられなかったのです。

こうした攻撃の時、イスラエル軍は、若者の足を積極的に狙います。バタフライ・ブレットといって、着弾した衝撃で銃弾の先が羽根のように開いて、周りにある血管や神経をズタズタにしてしまうものです。普通の銃弾であれば貫通したり、摘出したりすれば問題ないかもしれませんが、バタフライ・ブレットを被弾すると、脚を切断するしかない。麻酔なんてありません。二〇一四年にガザに入り、今回、空爆を受けたシファー病院を訪ねた際、案内してくれたお医者さんがキャビネットを開けて中を見せてくれました。「何にもないだろう」と。病院ですら麻酔がないので、お医者さんは負傷者の家族に「麻酔のある薬局を探して買ってきなさい」と言う。しかし、麻酔薬がお店にあったとしても、そんなものを買うお金なんてない。だから、麻酔なしで脚を切断する。野戦病院と同じです。イスラエル軍は、パレスチナ人の若者の脚を積極的に狙って、彼らを障害者にするという戦略をとっています。

ガザで増加する自殺

二〇一四年の攻撃の後くらいから、ガザでは、とりわけ若い人たちの間で自殺が激増しています。激増と言っても、日本と比べると数としては多くありませんが、そもそもイスラームは自殺を宗教的に最大のタブーにしています。

イスラームにおいては、自分を殺すというのは、他人を殺すのと同じぐらい罪なこととされています。なので、家族で自殺した人がいると、犯罪者の家族のように見なされてしまう。そのイスラーム社会のガザで自殺が増えている。正確な数は分かりませんが、二〇二〇年には最初の七カ月間で三十件の自殺と六〇〇件の自殺未遂がありました。五年間で三倍の数字です。

イスラエルとの境界のバッファーゾーン（立ち入り禁止区域）は、足を踏み入れるとイスラエル兵に狙撃されます。そのバッファーゾーンに突進して、自ら狙撃されて死ぬ者たちがいます。敵に向かっていって撃ち殺されたなら、それは民族解放の戦いで死んだことになるから自殺ではないと。

多いのは転落死です。足を滑らせて亡くなるので、自殺かどうかは分からない。家族が外聞を憚って自殺を公にしないこともあります。でも、そんな中、往来で軽油をかぶり、火をつけて焼身自殺する人もいます。

これは、二〇一一年の一連のアラブ革命、いわゆる「アラブの春」の発端になった出来事をなぞったものです。その前年の十二月、チュニジアの地方都市で、ムハンマド・ブアズィズィという貧しい青年が、社会の不正に対する抗議で焼身自殺をした、それが結果的に、四半世紀近く続いたベン＝アリ大統領の独裁に終止符を打ち、エジプトではムバーラク大統領を退陣に追い込んで、市民革命を成就させました。焼身自殺は、ブアズィズィ青年と同じ、積もり積もった不正義に対する全身全霊の抗議であり、さらに、自分の死をスペクタクル化することによって、こんな死に方をしたら、世界は今のガザがどんな状況にあるか目を向けてくれるのではないかという、まさに魂の叫びです。

自ら命を断つのは若者だけではありません。子供たちの腹を満たしてやることができず、家長として責務を果たせないという苦しみから、男性が命を絶ったり、こんな世界に赤ん坊を産み落としたくない、生まれたところで次の攻撃で殺されるだけの生かもしれないと、お腹に赤ちゃんがいる女性が自殺するといったこともありました。

今、ガザの若者の選択肢は、自殺、あるいはドラッグに逃げる、あるいは、なんとかガザを脱出してヨーロッパに渡る（でも、大抵は、強制送還されてしまう）、こういう状況にあります。

イスラエルはガザを完全封鎖して、人々をこんな状況にしておけば、パレスチナ人は反撃してこないと思った。でも、そうではなかった。我々はまだ、自分たちの正当な権利、故郷帰還の権利、民族的な権利、占領から解放されてパレスチナで生きる権利を絶対手放さないということを示すために、ガザのパレスチナ人戦士たちは片道切符で、死ぬと分かっていて、イスラエルに越境していきました。

イスラエルは、ハマースの「殺人指示書」がパレスチナ人戦士の遺体から発見されたと発表しました。日本のメディアもそれをそのまま報じています。でも、女性をレイプしたり、赤ん坊を焼き殺したり、民間人を惨殺するなどということをしたら、自分たちの正当な戦いを支持してくれるはずの国際社会まで、当然、敵に回すことになる。だから、私には、イスラエル政府が発表したような、ハマースによる民間人殺害の指示書があるとは思えません。野外音楽祭やキブツで民間人が亡くなったのは事実ですし、作戦として民間人を人質にしたことをハマースは認めています。そのことの是非は問われなければいけない。だけど、理性的に考えれば、民間人を積極的に惨殺したりすることは、ハマースをはじめ、この軍事作戦に参加したほかの解放組織にとっても、そして、パレスチナの解放運動そのものにとっても、何のメリットもない。「こいつらは血に飢えたけだものだ」「人間の合理的な論理で行動する連中ではない」というような、人を人とも思わない差別的なレイシズムの視点に立たない限り、彼らがそんなことをした、と考えることは難しいです。

「国際法を適用してくれるだけでいい」

ガザのパレスチナ人権センターの代表で、ラジ・スラーニさんという弁護士がいます。第二のノーベル平和賞と言われる、ライト・ライブリフッド賞を受賞している方です。二〇一四年、五十一日間戦争の後、十月に来日して、京都大学で講演をされました。その時に彼が強調していたのは、「とにかくパレスチナに国際法を適用してほしい、それだけでいいんだ」ということです。

彼は今年十月十七日に、アメリカのジャーナリスト、エイミー・グッドマンによる独立系メディアのテレビ番組「デモクラシー・ナウ！」に音声で出演した際、「もの分かりのいい犠牲者（Good Victim）」になるつもりはない、自分はガザ市を離れるつもりはないと断言しています*。

「もの分かりのいい犠牲者」とはどういう意味か。

今回、イスラエルがガザ北部の住民に「南に避難せよ」と警告したことに対して、ハマースが北部を離れるな、退避するなと言ったということが、あたかもハマースの非人道性の証拠であるかのように日本のメディアは報道していますが、逃げた人たちも、イスラエルが提示した避難ルートの途上で攻撃されています。さらに、避難先の中部や南部も今、無差別に爆撃されている。ガザ地区にいる限り、どこに行っても殺されるんです。イスラエルが人道的見地から、北部の住民に退避を促しているわけではないことはすぐ分かる。それは、イスラエル政府高官自ら公言しているように、第二のナクバを行うためです。七十五年前と同じように、住民をガザから追放して、民族浄化を行うためです。パレスチナ人のいないパレスチナを創るためです。その中で、ラジ・スラーニさんは、自分は北部にあるガザ市にとどまると言っている。七十五年前、パレスチナ人は、逃げたがゆえに難民となり、祖国を奪われた。その経験があるからこそ、二度と、唯々諾々と民族浄化の犠牲者になるつもりはないと言っているのです。今、この爆撃のもとであっても、イスラエルに占領された故郷の村や町に戻るのでない限り、ガザを決して離れるつもりはないと断言する人たちもいます。パレスチナ人のこうした声については、全然報道されません。

本当は、もっともっといっぱい、お話ししたいことがあるのですが、最低限、以下のこと、

・なぜパレスチナ人が難民となったのか
・イスラエルはどのように建国され、イスラエルとはどのような国なのか
・ガザの人々が、とりわけこの十六年以上置かれてきた封鎖というものが、どういう暴力であるのか

これらを押さえていただければ、ハマース主導によるガザの戦士たちによる今回の越境奇襲攻撃というものが――そこに国際法上の戦争犯罪があったことを否定するものではないですが――イスラエルが喧伝しているような、血に飢えたテロリストによる残忍な民間人を狙った殺戮などではない、もっと別の姿として見えてくると思います。

それをイスラエルは知られたくない。だから徹底的に覆い隠す。そして、その覆い隠す報道に日本のメディアも乗っかって、七十五年前からじわじわと続く「漸進的ジェノサイド」(イラン・パペ)の総決算のようなものが今、起きている。このことをぜひ、ご理解ください。

最後に、次の言葉をご紹介します。マンスール・アル＝ハッラージュという、イスラーム中世の神秘主義の思想家の言葉です。

地獄とは、人々が苦しんでいるところのことではない。
人が苦しんでいるのを誰も見ようとしないところのことだ。

* https://www.democracynow.org/2023/10/17/raji_sourani_gaza

ヨルダン川西岸地区出身・ジョマーナさんのスピーチ

今日は京都在住の、二人のパレスチナ人の方にもお越しいただきましたので、ぜひお二人からもお話をいただきたいと思います。

まずは、ヨルダン川西岸地区出身のジョマーナ・ハリールさんのお話から。

皆さん、こんばんは。

本日はお集まりいただき、本当にありがとうございます。

パレスチナ人に対する占領、民族浄化、抑圧が七十五年間も続いているというのに、悲しいことに私たちはいまだに、世界の前に立って、自分たちが犠牲者であり、テロリストではないということを、他国を侵略しているわけではないことを、私たちは世界を脅かす存在では決してないことを、証明しなければならない、そのことに胸がつぶれる思いです。

こんな疑いようのない事実が、世界の何百万、何十億という人々にまだ認識されていないのです。

ですから岡真理先生が、そのことを紹介し、世界に真実を伝えようとしてくれていることに感謝します。

私たちパレスチナ人は、毎日携帯電話の動画をスクロールして、自分の国で同胞が大量虐殺されているのを見て、それに対し世界は沈黙を続けていることに、人生で最も悲しい日々を送っています。

イスラエルが今、していることは私にはなんの驚きもありません。

私はパレスチナに生まれ、インティファーダも経験しました。ヨルダン川西岸地区の出身です。生まれたのはエルサレムですが、今はエルサレムに行く権利を奪われています。

十年前に日本に来る前はヨルダン川西岸に住んでいました。生まれた時からずっと軍事占領下で生きてきました。毎日、大学や祖父の家に行く途中、兵士たちにこのようにされていました（銃口を突きつけられるポーズ）。これが軍事占領下で生きるということです。

検問所を通らねばならないため、車で二十分しかかからない大学までの道のりを二時間かけて通い、毎日毎日、人間性を否定され、顔の前に銃を突きつけられ、「名前は？　なぜここに来た？」と問いただされました。ただ私がパレスチナで生まれ、私の家族がパレスチナ人だからという、ただそれだけの理由で。子供の頃からずっとそうでした。にもかかわらず、今一度繰り返しますが、私たちが被害者であることをいまだに証明する必要があること自体、恐ろしいことです。今、起きていることはハマースに対する戦争ではないということを、私は何度も何度も強調したいのです。

ヨルダン川西岸地区にハマースはいません。しかし、昨日一晩で、西岸の私の街で十三人のパレスチナ人が殺されました。彼らは武器など持っていません。ただ自由を求めて、つまり人間の最も基本的かつ根源的な権利のために闘っているパレスチナ人でした。そんな十三人のパレスチナ人が殺されたのです。

私たちは、占領と民族浄化の只中を生きています。エルサレムで、ヘブロンで、西岸南部で。国際法違反の入植地が年を追うごとに拡大し続けています。

ハマースがいなくても、私たちはこうした現実のもとにあるのです。岡先生が示したように、二〇一八年のガザでは「帰還の大行進」と呼ばれる非暴力の、本当に一〇〇パーセント平和的な非武装の抗議活動が行われました。ガザの人々の七〇パーセントは難民であり、彼らは国連が認めている帰還の権利の実現を平和的に求めました。でも、その抗議活動中、三百人のパレスチナ人が、銃撃されたのです。

つまり、これはハマースの問題ではないということです。自由を求めるすべてのパレスチナ人がイスラエルの標的なのです。

特に今はこれまで以上に、パレスチナ人だけでなく、すべての人間がガザでのこのジェノサイドに反対し、パレスチナ人の自由のために立ち上がり、イスラエルの責任を問うよう、呼びかけなければなりません。

イスラエルは法の上にあるわけではありません。そんなことはあってはなりません。イスラエルは七十五年間、止むことのない戦争犯罪を犯し続け、あらゆる人権を侵害してきたのです。イスラエルを法の上に立たせてはならない。残念ながら、世界の諸政府は、ファシストであり、極右で、ほとんどすべての国の政府がイスラエルを支持しています。残念なことに日本政府も、です。

しかし、私たち人民は政府よりも強いはずです。私たちは立ち上がり、声を上げ、今ニュースで溢れている嘘や間違った情報を正すために変えるパワーを持っています。私たちには、パレスチナにおける植民地主義やアパルトヘイトを支援するありとあらゆる企業をボイコットするパワーがあります。

私たちは何かができるはずです。ネルソン・マンデラは、「パレスチナ人の自由なくして私たちの自由は不完全だ」と言いました。

そして特に今、これまでにも増して、私たちは、スマホをスクロールして大量虐殺が起こっているのを目にし、ログアウトして黙ったままでいる、というようなことを自分に許してはいけないのです。

そんなことを許したら、ヒューマニティの死です。心の中のヒューマニティを失ってしまいます。

キング牧師も、こんなことを言いました。私の好きな言葉の一つです。

「いかなる場所にあろうとも、不正義は、あらゆる場所において正義への脅威となる」

つまり、ガザのジェノサイドがこのまま続けば、世界の他の地域でも、ジェノサイドが起こるようになるということです。

今、何が起きているのかを皆さんが理解しようとしてくれていることに感謝します。今日の講義で最も重要なポイントの一つは、メディアは残念ながら、誤った情報で溢れているということです。

イスラエルはハマースが四十人のイスラエル人の赤ん坊の首をはねたと言いま

したが、その後自ら、その主張を撤回しました。ホワイトハウスも撤回しました。ハマースが女性をレイプしたとも報じたのに、「ああ、その証拠はない」と言いました。

イスラエルは病院を爆撃し、ツイッターでそれを認めました。イスラエルのデジタル報道官自身がそれを認めたのです。それなのに、彼らはそのツイートを削除し、ハマースが誤って病院を爆撃したと言ったのです。

私たちは、こんなにも大量の嘘がまかり通るのを許してはなりません。ですから、何が起きているのかを理解しようと最善を尽くしてくれて、真実に耳を傾けてくれて本当にありがとうございます。そして、どうか真実をここだけにとどめず、広めてください。メディアで嘘を目にしたらそれを正してください。

ありがとうございました。

ガザ中部出身・アンハールさんのスピーチ

次に、アンハール・アッライースさん、ガザ中部出身の方です。

私は今、思いをしたためようとしていますが、私の胸の内の悲しみと不安を表す言葉が見つかりません。言葉にしたくてもできないような、この悲しみと不安を手紙にしてきました。

パレスチナ人は、長年にわたり、イスラエルによる集団虐殺、強制移動、殺戮、封鎖、そして投獄といった経験に苦しめられてきました。

けれども、この十日間に私たちが味わった苦しみ（注：スピーチは十月二十日）は、これまでの積年にわたる苦しみに匹敵します。

すでに一五〇〇人の子供を含む四〇〇〇人以上が殺され、一万六〇〇〇人の負傷者は薬もなく、治療も受けられないばかりか、眠る場所もありません。負傷者の多くは子供です。おそらく今後、死者の数は倍になるでしょう。

今の惨状についてお話ししましょうか？

イスラエルは、私の卒業した大学、かつて生まれ育ち、歩いた道を破壊しました。

彼らは、私の思い出の故郷を、家を、市場を、家々を、道を、銀行を、パン屋を、施設やタワーを破壊し去ったのです。


死についてお話ししましょうか？

私たちは、次の瞬間には死んでいるかもしれません。

私たちは、絶えず恐怖と破壊と惨状の中に置かれています。

死の音、助けを求める声、叫び、恐怖がいたる所にあふれています。

道はどこも、死と爆発のにおいに満ちています。

たったの一分で、数百人の命が奪われるのです。

ばらばらになった子供たちの遺体は身元すら特定できません。

一歳にも満たない赤ん坊が、家族全員を亡くし、たった独りで、誰の助けもなく、食べ物も母乳もないまま、残されています。

怪我をした子供たちが病院の前の路地に独りたたずんでいます。

母親のお腹の中で焼かれ、殺され、傷つけられた胎児だっています。

いったい、この罪のない人々の何がいけなかったというのでしょうか？


医療器具、病床が不足しているせいで、手術や救急処置は床の上で、しかも麻酔なしに行われています。

このような殺戮、破壊、惨状にもかかわらず、依然、封鎖が課されています。

水もありません。電気も食料もありません。

安全な場所もなければ、通信手段もありません。

私たちは、世界じゅうで一番人口過密な地域で、大きな監獄の中に閉じ込められているのです。

イスラエル国防軍は病院を爆撃しました。何十人もの患者と何百人もの民間人がいる病院を。彼らは、爆撃を逃れて病院の中庭に避難していた人たちでした。彼らは殺されました。

正確な数は数えられません。なぜなら、彼らの遺

撮影：インディペンデント・ウェブ・ジャーナル（IWJ）

体はばらばらになってしまったから。爆撃前、そこには五百人以上の人がいました。


私自身についてお話ししましょうか。

私は日本でまだ一歳にならない娘と暮らしています。

私は眠ることも、食べることも、子供をあやすこともできません。ニュースから目が離せず、いつなんどき家族を失うか分からない気持ちでいます。

パレスチナにいる私の家族は今、生きているのか、それも分かりません。

もしかすると、私の弟は、壊されたわが家の下敷きになって息絶えているかもしれません。

もしかすると、私の妹は、負傷し、痛みとともに、助けを呼びながら、なんの手当も受けられずたった一人、地面に横たわっているかもしれません。

もしかしたら、壊れたわが家の下で誰かがまだ息をしているかもしれません。

彼らは水と食料を見つけられるでしょうか。

彼らは恐怖の叫びをあげているのでしょうか。

泣いているのでしょうか。

こんなことばかり四六時中考えていると、自分がゆっくりと死に近づいているような感覚に陥ります。

私が親戚から受け取った私の家族に関する最後の知らせは、「水も食べ物もなく、子供たちは高熱を出しているが、病院も薬もない」というものでした。

手当を必要としている負傷者の数は計り知れません。

何百もの家族が破壊された家の下敷きになっています。

手や腕を失った子供たちがたくさんいます。

そのうちの何人かはいずれ、治療と病院の不足、そして病院の停電によって亡くなってしまうかもしれません。

現実が想像を絶していて、この悲劇の大きさを表すに足る言葉がありません。

私は壊れ、引き裂かれた心で、人間に、あなたたちの心の中の良心に、この殺戮と流血を止め、ガザに水と食べ物と薬を入れることを許してくれるよう訴えます。

私たちの子供たちはバイデンが言ったような、野生の獣ではありません。人間の子供たちなんです。

この意味が分かりますか？

イスラエルは私たちの口を封じています。

彼らは私たちがどこにいようと、私たちを包囲しています。

なぜなら、彼らは誰にも真実を知ってほしくないからです。

自分たちがやってきた犯罪の醜さを知っているからです。

私たちがフェイスブックで彼らの罪をあばく投稿をすると、彼らはそのページや投稿を削除してしまいます。

彼らはガザに外国の報道機関が入るのも妨げています。

彼らは私たちが世界に発信できないように、インターネットを遮断します。

今や、現地の報道機関でさえ事実を伝えられないのです。

彼らは世界に嘘をばらまいて、何の証拠もないまま、私たちが子供を殺しているなんて言います。でも私たちは彼らの犯罪を示す証拠やビデオ、ライブ映像を数え切れないほど持っているんです……。

彼らがもし誠実で正しいならば、そんなことしないはずですよね。

アンハール・アッライース

第2部

ガザ、人間の恥としての

10月23日 早稲田大学講演より

まず、まず最初に。

この十月七日以降ではなく、また七十五年前からでもなく。

今から八十年前、ヨーロッパにおける反ユダヤ主義で、その結果によるホロコーストで、犠牲になった者たち。

ホロコーストを生き延びながら、故郷に帰ったのに、そこで虐殺された者たち。

あるいは、もうほかに行くところがなくてパレスチナにやってきて、ユダヤ国家建設のための戦いに加わり、その戦いの中で亡くなっていった者たち。

そして、そのユダヤ国家建設におけるパレスチナの民族浄化の過程で虐殺された者たち、亡くなった者たち。

難民となった後も、繰り返される虐殺によって、そしてまた、イスラエルとなってしまったパレスチナにとどまって、そこで官憲に殺された者たち……。

その者たちを思って、黙祷を捧げたいと思います。

今、ガザは電気もなく、ブラックアウトしています。会場も暗くしましょう。

では、黙祷。


どうもありがとうございます。先ほど、主催者を代表して、中島さんからお話がありましたように、このセミナーが決まったのは、先週の水曜日のことです。それからわずか四日間で、有志の学生さんたちが準備してくださいました。そして、大学の垣根を越えて、学生さんや教員の方々にご協力いただいて、今日、開催の運びとなりました。まず、ご協力くださったみなさんと、主催者である「〈パレスチナ〉を生きる人々を想う学生若者有志の会」のみなさんに、心からお礼申し上げます。

今、目の前で起きている

もう、本当に、言葉がありません。

先週の金曜日に京都でも、京都市民の有志の方が、緊急の学習会を開いてくださって、二百人以上の方が参加してくださいました（第1部）。オンラインの中継では最大時、千人以上の方が視聴してくださったそうです。

その学習会の最後に、京都在住で、ヨルダン川西岸地区出身のパレスチナ人、ジョマーナさんが英語で挨拶をされました。そこで彼女が開口一番言ったのが、「パレスチナ人が、祖国を喪失して七十五年、ガザと西岸が軍事占領されて五十年、そして、そのガザが完全封鎖されて、今年で十七年目に入る。なのに、いまだにパレスチナ人が犠牲者である、ということを世界に向かって説明しなければならないことに胸が潰れる思いだ、恐ろしくすら感じる」ということでした。

そのジョマーナさんから、今日、東京へ向かう新幹線の中でメールが届きました。ガザに暮らす彼女の友人のご家族、親族、六十人が亡くなったと。

本当に言葉がない、ないです。

この土日の間ずっと、本日の講演の原稿を準備していましたが、この場でスピーカーとして語らなければいけないのに、ものを考えたり、書いたりする、そういうことができる精神状況では全然、ありませんでした。

今、起きていること、それを、私たちは知らないわけではないのです。ホロコーストの後で、ドイツ人が「自分たちは知らなかった」と言ったような——本当に知らなかったかどうかは別として——そんな言い訳は成り立たない。ナチスによるホロコーストと同じようなこと、ジェノサイドが、今、本当に、起きている。私たちの目の前で。私たちは、それをテレビで見て、知っている。世界が注視している中で、ホロコーストが起きている。このことに対して、いったい、どういう言葉で語ったらいいのか、本当に分かりません。

言い訳になってしまいますが、準備時間もなかったのと、そういうような、本当に言葉がない中で準備したので、今日のお話は断片的、あるいは断章的で、体系立っていないかもしれません。また、二千人以上の方が申し込みされたということですが、それらすべての方のご希望通りのお話、ご期待に添えるようなお話でもないかもしれませんが、どうか聞いてください。

何度も繰り返されてきた

今、ガザで起きていることは、ジェノサイド以外の何物でもありません。

ガザとは、何でしょうか。

イスラエルによる、完全封鎖されたガザに対する大規模な軍事攻撃は、今回が初めてではありません。これまで何度も、繰り返されてきました。

最初の攻撃は、二〇〇八年十二月末から、翌〇九年一月までの二十二日間。

この攻撃のことを、私は当初、「約三週間」の攻撃と言っていました。二十二日間だから、約三週間と言っても間違いではありません。でも、やっぱりこれは「二十二日間」と言わないといけないんだと気づきました。終わってしまった今だから二十二日間と言えるけれども、攻撃が続いている間は、それがいったいいつまで続くのか分からない。二十二日目に亡くなった人たちもいる。二十一日で攻撃が終わっていたら死なないで済んだ人たちです。だから、ざっくりと「約何日」とか「約何週間」などとは言ってはいけない。「二十二日間」と言わなくてはならないのだと。

この時のパレスチナ側の死者は、一四〇〇人以上でした。

ガザに対する一斉攻撃が始まったという報を聞いた時は、信じられませんでした。当時のガザは完全封鎖されていて、住民はガザの外に逃げることができないんです。そのガザに人口は百五十万。百五十万の人間が閉じ込められていて、逃げ場がない。そのガザに連日連夜、空から、陸から、海から、ミサイルや砲弾、果ては白リン弾までが撃ち込まれました。

白リン弾は、空気に触れている限り鎮火しません。肌につくと骨に達するまで肉を焼き尽くしていきます。一度吸い込むと肺を内側から、内臓から焼き焦がしていく。

当時はまだツイッターもインスタグラムも広まっていなくて、ガザのアズハル大学で英文学を教えておられたサイード・アブデルワーヘド教授が、メールで毎日、何月何日何時何分、ガザのどこそこで今、こういうことが起きている、昨日はこういうことが起きたということを知らせてくださいました。その時のメールは、『ガザ通信』（青土社）という本にまとめられています。

その最初の攻撃から何日か経った時、アブデルワーヘド教授から、メール添付で何回にも分けて、何十枚もの写真が送られてきました。その中に、瓦礫の中に女の子の首だけ落ちているという写真もありました。のちに「白リン弾 ガザ」で検索すると、下半身のちぎれ落ちた、白リン弾で真っ黒な炭となった赤ちゃんの写真も見つかりました。

まさに、人間性の底が抜けたような出来事でした。人間にこんなことができるのか、と信じられない思いでした。

停戦した後も、ガザについて語る機会が何度もありました。そのたびに私は、韓国の文富軾（ムンブシク）さんの『失われた記憶を求めて』（現代企画室）という、一九八〇年の光州事件の記憶を綴った本で引用されていた一節、「忘却が、次の虐殺を準備する」を何度も引用し、言いました。私たちは今、〈ガザ〉の後にいるのではない。次の〈ガザ〉の前にいるのだと。今回、ガザで起きた出来事を忘れたら、私たちはその忘却によって、次の〈ガザ〉への道を整えているのだと。

忘却の集積の果てに

最初の攻撃は二〇〇九年一月に停戦しました。その後、南アフリカの弁護士リチャード・ゴールドストーンを代表とする国連の調査団がガザに入り、この戦争について詳細な報告書がまとめられました。報告書では、ガザ側、イスラエル側の双方に戦争犯罪があったとしながらも、イスラエル側に圧倒的な戦争犯罪があったと結論づけています。この報告書は国連総会で賛成多数で可決されましたが、アメリカとイスラエルは反対票を投じ、日本は棄権しています。

こうした報告書は出たものの、イスラエルが犯した戦争犯罪に関して、イスラエルに説明責任を果たせとか、責任者を処罰するとか、そういったことが問われることはありませんでした。ガザは忘れ去られました。完全封鎖はまだ続いているのに。

四年後の二〇一二年十一月、八日間の攻撃がありました。停戦。世界は再び、ガザを忘れました。

二〇一四年の三月、私はガザに入ることができました。

完全封鎖が始まって七年が経っていました。訪れたガザのシファー病院では、案内してくれたお医者さんがキャビネットを開けて、「見てくれ、何もないだろう」と空っぽの棚を見せてくれました。医薬品も麻酔も医療キットも、その時点ですでに底をついていました。とにかく病院は電気が必要なので、燃料を病院の発電機に優先するため、救急車の出動を控えていると医者は語りました。

その四カ月後です。二〇一四年七月、ガザは五十一日間にわたる攻撃にさらされ、二二〇〇人以上が亡くなりました。うち五百人が子供です。

ガザは、若年人口が非常に多いのです。六五パーセントが二十四歳以下、平均年齢が十八歳。人口の四〇パーセントは十四歳以下の子供です。だから、無差別な攻撃があったら、犠牲者の半分は子供たちです。

この五十一日間戦争では、百八十万の人口のうち五十万人以上が家を追われ、人々が避難していた国連の学校も標的になり、避難者と国連のスタッフも犠牲になりました。国連施設がターゲットになるのは、今回が初めてではないのです。

攻撃が始まって一週間後、エジプトを介して、無条件停戦が提案されました。世界は、「封鎖解除」という条件に固執して無条件停戦を蹴ったハマースを非難しました。ガザで毎日パレスチナ人を殺しているのはイスラエルなのに、「せっかく提案してくれた無条件停戦案を、ハマースが自分の条件に固執するあまりに蹴って、それで攻撃が続き、ガザのパレスチナ人が殺されている」というような論調でメディアは報じました。

しかし、その一週間後、ガザの市民社会の代表たちが英語でメッセージを発しました。「ガザに正義なき停戦はない」と題して。世界に向けてのメッセージです。「開戦前の既成事実、すなわち七年間続いた封鎖状態にただ戻るだけの、そんな停戦などいらない。それは、私たちに生きながら死ねと言うに等しい」と言って。「それならむしろ、我々は今戦って死ぬ方を選ぶ」と。

そして、停戦。ガザの人々が「生きながらの死」と呼ぶ封鎖は続きました。

不均衡な攻撃

二〇一四年十月、五十一日間戦争からわずか二カ月後、ガザに本部を置くパレスチナ人権センターの代表・ラジ・スラーニさんが来日し、京都で開かれた講演会で、「ガザに国際法を適用してくれ。それだけでいいんだ」と語りました。しかし、五十一日間戦争で犯されたイスラエルの戦争犯罪が裁かれることはありませんでした。

イスラエルはこの戦争で、ダーヒヤ・ドクトリンと呼ばれる戦術を大規模に展開しました。「ダーヒヤ」とはアラビア語で「郊外」を意味します。この戦術は、〇八年の最初の攻撃でも使われています。〇六年にイスラエルがレバノンに侵攻した際、ベイルート郊外に対して行った攻撃であることから、ダーヒヤ・ドクトリンと呼ばれるようになりました。

どういう戦術かというと、攻撃するターゲットの規模とまったく釣り合わない、不均衡な火力・戦力で相手を攻撃するというものです。例えば着弾したら、半径五十メートルが瓦礫になってしまう、しかも着弾誤差が五十メートルもあるような砲弾をどかすかと撃ち込む。本来は攻撃対象と釣り合いの取れた火力、武力で攻撃しなければならないのに。このような不均衡な攻撃は、完全に国際法違反です。

まだ攻撃が続いている時に、ドローンで空撮された映像がパレスチナの情報サイトで公開されました。最初、その動画を見た時に、私は真っ先に東日本大震災の津波による被災地を思い起こしました。そしてまた、八月六日の、原爆が投下された直後の広島のことも。

五十一日間戦争の時のガザの死者は二二〇〇人超と申し上げましたが、当時のガザ

51日間戦争（2014年）

51日間戦争で甚大な被害を受けたガザのシュジャイヤ地区（2014年8月1日撮影）　写真：ロイター／アフロ

の人口は百八十万人です。これを日本の人口比で換算すると、およそ十五万人に相当します。広島の原爆投下で一九四五年八月六日から同年十二月までに被曝で亡くなった方が約十四万人です。

また、ガザ警察の爆弾処理部隊の報告によりますと、この攻撃では核兵器こそ使われていませんが、この時使われた砲弾やミサイルの火薬は、広島型原爆をTNT火薬に換算したものを上回るといいます。つまり、核兵器は使われていないけれども、二〇一四年のガザで起きたことは、その破壊力の規模と犠牲者の規模から言えば、広島の原爆にも相当するということです。広島の原爆が大量殺戮であるならば、二〇一四年のガザも大量殺戮です。

この二〇一四年の攻撃の後から、ダーヒヤ・ドクトリンは、「ガザ・ドクトリン」と呼ばれるようになりました。

この頃から、自殺を最大の宗教的タブーとするイスラーム社会のガザで、自殺者が出るようになりました。アラビア語で自殺のことを「インティハール」といいます。それまで「インティハール」なんていう言葉、聞いたこともなかった、聞いても意味が分からなかった、そういう社会で、いつしかこの言葉が、日常ありふれた言葉になってしまいました。

平和的デモへの攻撃

二〇一八年、今から五年前に、ガザでは「帰還の大行進」が行われました。

パレスチナ人が故国を占領され、難民となった「ナクバ」から七十年目の節目のこの年の三月三十日の「土地の日」から、七十回目の故国喪失の記念日である五月十五日まで、ガザを統治するハマースほか、ガザの様々な党派が一緒になって呼びかけて、

「帰還の大行進」と銘打ったデモが行われました。パレスチナの旗を掲げ、みんなしてイスラエルとの境界付近に行進する。

この帰還の大行進で掲げられた主張は三つあります。

一つは、難民の帰還の実現です。ナクバから七十年、ガザにいる人たちの七割は、四八年に難民となってガザにやってきた人たちとその子孫です。彼らがイスラエルに占領された自分たちの故郷に還るというのは、国際社会が認める、彼らの民族的権利です。その権利の実現です。

二つ目は、この当時ですでに十年以上続いている、国際法違反であるガザ封鎖の解除。

そして三つ目、当時アメリカはトランプ政権時代で、トランプ大統領が、国際法を踏みにじって、大使館を占領下のエルサレムに移転することを決めました。それに対する抗議です。

「帰還の大行進」の大半は、非暴力のデモでした。「大半は」というのは、中にはタイヤを燃やしたり、簡単な爆発物をつけた凧を飛ばすとか、そういうことをする若者もいましたが、基本は非暴力の平和デモです。しかし、この非暴力のデモに対して、イスラエル軍は催涙弾を撃ち込み、スナイパーが非暴力の参加者を狙い撃ちしました。アムネスティ・インターナショナルの報告によれば、半年間で死者は百五十人、負傷者は少なく見積もっても一万人。しかも、その一万人のうち一一五人が医療従事者です。イスラエル軍の攻撃で負傷した人たちを助けるために、ボランティアで参加していた人たちです。そして、一八四九人が子供です。実弾による負傷は五八〇〇件以上。膝下ないし太ももから脚の切断を余儀なくされた者たちもいます。

イスラエルは、意図的に若い人たちの脚を狙います。榴散弾と言って、弾丸の中に小さな弾がたくさん入っていて、着弾の衝撃でそれがわっと出るものとか、バタフライ・ブレットといって着弾すると弾頭が裂けて、複数の刃物のようになるものなど、国際法上使用が禁じられている武器を利用します。普通の弾丸一つだけなら、貫通したり摘出すれば治療できるかもしれない（と言っても、ガザにはじゅうぶんな医薬品もないのですが）。しかし、榴散弾のような兵器は周りの血管や神経までズタズタに切り裂いてしまうので、感染症を起こしたりして亡くなる可能性もある。だから被弾すると脚を切断するしかない。片脚、場合によってはもう片方の脚も狙撃されて両脚を切断する若者が、この時、たくさん生まれました。イスラエルは、射殺するのではなく、むしろ、とりわけ若い人たちに一生障害を負わせるために脚を狙撃する、そういう戦略を積極的にとっています。

それだけの多大な犠牲を払いながら訴えた、七十年経っても実現しない難民の帰還実現の要求も、十年以上に及ぶ違法な封鎖を解除してくれという要求も、メディアでは報じられませんでした。パレスチナ人の正当な主張を行った平和デモへの攻撃で膨大な数の死傷者が出たことも、国際法で禁じられている兵器を使って、意図的に障害者を作り出しているといったことも、まったく問題にされませんでした。

日本のメディアは、五月十四日のアメリカ大使館のエルサレム移転の式典を報じる、その報道の刺身のツマのように、移転に反対するパレスチナ人が、ガザで大規模な抗議デモを行っています、そこで死傷者が出ています、ということを伝えただけでした。

イスラエルは軍事占領した東エルサレムを併合し、そこを首都としている。これ自体が国際法違反です。そのエルサレムにアメリカ大使館を移転する、これも国際法違反です。この事実を、きちんと報道する主流のメディアはありませんでした。

二〇一四年の五十一日間戦争から七年。二〇二一年、再び十五日間の攻撃がありました。

その間の破壊兵器の進化は凄まじいものでした。ミサイルや砲弾が建造物に撃ち込まれて立ち上る黒煙の規模がこれまでと全然違う。ミサイル一つで高層ビル全体が瞬時に瓦礫と化してしまう。〇八－〇九年の最初の攻撃の時に、こんなことが起きるなんて信じられないと思っていたその攻撃が、まるでのどかにすら感じてしまう。まさしく異次元の攻撃でした。

恥知らずの忘却

停戦、そして忘却。

こうやって私たちは忘却を繰り返すことによって、今回のガザ、この紛れもないジェノサイドへの道を整えてきたことになります。

メディアも市民社会も、攻撃が続いて建物が破壊され、人が大量に殺されている時だけ注目して、連日報道し、でも、ひとたび停戦すれば忘れてしまう。ガザの人々の生を圧殺する封鎖は、依然続いているにもかかわらず。パレスチナ人「だけ」が苦しんでいる限り、イスラエルがどれだけ国際法を踏みにじり、戦争犯罪を行おうと、世界は歯牙にもかけない。

世界が認める、国際社会が認めるパレスチナ人の正当な権利の実現を、国際社会に向かってパレスチナ人が非暴力で訴えても、そのデモがイスラエルに攻撃されて死傷者がどれだけ出ても、世界にとってはどうでもいい。せいぜい、アメリカ大使館のエルサレム移転の報道のツマとして、ガザでそれに反対する抗議デモがあったと紹介すれば事足りるような、そういうものだということです。

私には、この恥知らずの忘却と虐殺の繰り返しが、今、ガザで起きているこのジェノサイドをもたらしたのだとしか思えません。

私はメディアを批判していますが、この批判は、私自身にも向けられています。

昨日のNHKスペシャル（十月二十二日放送「ハマスとイスラエル　対立激化どこまで」）をご覧になった方も多いと思います。二〇〇〇年から〇四年にかけてエルサレム特派員をしておられた鴨志田郷解説委員が、帰国してから他の仕事に忙しくて、パレスチナ、イスラエルに何も関われなかったと、そのことに対する自責の念を口にしておられました。私はその鴨志田さんの表情を見ていて、これは彼の偽らざる率直な、正直な、お気持ちなんだと感じました。なぜなら今、私自身、同じ気持ちで自分を責めているからです。

私はこの間、何をしていたんだろう。攻撃が起こるたびに、「忘却が次の虐殺を準備する」「私たちはどれだけこの恥知らずの忘却を続けるんだ」と訴えながら、でも攻撃がない時、いったい自分はどれだけガザのことを世界に伝えようとしてきただろうか。

恥知らずなのは、私自身です。だから今、話していて、とても苦しいです。教えてください。

非暴力で訴えても世界が耳を貸さないのだとしたら、銃を取る以外に、ガザの人たちに他にどのような方法があったでしょうか。反語疑問ではありません。純粋な疑問です。教えてください。

巨大な実験場

ガザとは何か。

ガザ、それは巨大な実験場です。

イスラエルの最新式兵器の性能を、実践で実験するところ。大規模攻撃を仕掛ければ、世界のニュースがそれを放映してくれる。ガザは、その兵器の性能を実演して見せるショーケースです。新兵器の開発で用済みになってしまう古い兵器の在庫も一掃できる、ガザはそういう便利な場所です。

ガザ、それは実験場です。

百万人以上の難民たちを閉じ込めて、五十年以上も占領下に置き、さらに十六年以上完全封鎖して、食糧も水も医薬品も、辛うじて生きるのに精一杯という程度しか与えないでいたら、人間はどうなるか、その社会はどうなるか、何が起こるのか、という実験です。

産業基盤は破壊されて、失業率は五〇パーセント近く、世界最高水準です。そして、五〇パーセント以上が貧困ライン以下の生活を強いられ、三割の家庭が子供の教育費すら賄えないでいる。八割の世帯が食糧援助に頼らざるを得ない状態で、国連や国際支援機関が配給する小麦粉や油や砂糖といったものを大量に摂取することで辛うじて生命維持するためのカロリーを賄っている。

炭水化物や油を大量に摂っていたらどうなるか。今、糖尿病がガザの風土病になっています。ガザの人が糖尿病で太っているので、イスラエルは、「みんな太ってるじゃないか、完全封鎖でガザの住民が飢えているなんて嘘だ」というようなことを言います。

未来に希望を見出せず、自分を殺すことは他人を殺すことと同罪だとみなすイスラームの社会で、それでも自ら命を絶つ者たちが後を絶たなくなる。

外聞をはばかって、事故死に見せかけるために転落死する人。あえてイスラエルとの境界フェンスに突進して射殺される人。そうすれば、祖国解放のために敵と戦って殉じたことになるから、自殺にはならない、宗教的罪を犯したことにはならないから。あるいは、往来で軽油をかぶって自分の体に火をつけて焼身自殺する者。

十三年前、チュニジアの地方都市で、貧しい青年ムハマド・ブアズィズィが広場で自分の体に火をつけて、不正がまかり通る社会に自らの死でもって抗議します。その結果、チュニジアのベン＝アリ大統領の二十年以上に及ぶ独裁に終止符が打たれ、エジプトではムバーラク大統領が退陣に追い込まれ、エジプトの市民革命が成就しました。自分もそうやって死ぬことで世界が注目してくれるのではないか、ガザの封鎖の状況に対して世界が声を上げてくれるのではないか、そういう思いで自殺する若者たちもいます。

あるいは、子供たちの腹を満たしてやれない、父親としての務めを果たすことができない、その苦しみで命を絶つ父親。あるいは、こんなガザに赤ん坊が生まれてきても、十分な食べ物もなければ、次の攻撃で殺されるだけかもしれない、そんなガザに子供は産みたくないと、自ら命を絶つ、お腹に赤ちゃんがいる女性。

それでも、なんとか生きようとする人たちがいます。音楽やダンス、演劇やアート、そういったものを支えにして。だから文化センターが攻撃されます。

ワルシャワ・ゲットーに閉じ込められたユダヤ人が、しかし、それでも、文学や音楽や演劇など文化活動を通して抵抗したように、ガザという野外監獄に閉じ込められながら、パレスチナ人はそれでも、音楽や演劇やダンスやアートなどの文化的活動を続けていました。二〇一八年八月九日、ガザにおける文化活動の拠点であった、サイード・ミスハール文化センターが空爆され、瓦礫になりました。度重なる戦争でトラウマを負った子供たちのためのレクリエーション施設でもありました。二五〇人の子供たちが、パレスチナの民族舞踊ダブケを習っていました。文化を通して、パレスチナ人のアイデンティティを育む場所でした。

ガザの動物園

ドラッグを使って、封鎖下で生きる苦しみから一時的に逃避しようとする者たちもいます。しかし、その禁断症状から薬局に強盗に押し入ったり、あるいは家庭で暴力を振るうなど、封鎖によって、社会や家庭が内側から崩壊しています。

下水処理施設が稼働しないために、二百三十万人の生活排水、トイレの水から何から何までがそのまま川へ排水され、地中海へ。川の流域の地下水も汚染され、飲み水の九七パーセントが飲料に適しません。でも、水を飲まなくては生きていけないから、体に悪いと分かっていながら、貧しい者たちはその水を飲むしかない。生かすため、生きるための水が、命を内側から削っていきます。

考えてみてください。二百三十万人の生活排水がそのまま、汚水処理されずに海に流されている。ガザの海で泳ぐことは、感染症で命の危険すらあります。実際に亡くなった者もいます。ガザのビーチは遊泳禁止になりました。でも、電気の供給は一日数時間。夏に気温が三〇度を越えても、エアコンも扇風機も使えない。だから海で涼むしかない。

そのうちに、当然のことながらイスラエルの領海にも汚染が及んで、下水処理施設が少しだけ稼働するようになり、昨年、遊泳禁止が一部解除されました。

ガザの子供たちに、他の国の子供たちと同じ楽しみを与えてやりたいと思う者もいます。身銭を切って、地下トンネル経由で動物をガザに連れてきて、動物園を作った人がいます。シマウマは手に入らなかったので、ロバをシマウマのように色を塗って、大人気になりました。

しかし、二〇一四年の五十一日間戦争で、この動物園は地上侵攻したイスラエル軍に占拠されました。動物たちに餌をやらせてくれとの懇願は聞き入れられず、停戦してイスラエル軍が撤退した後、駆けつけてみると、動物たちはほとんど餓死していました。今はその動物たちをミイラにして展示しています。動物園は動物のミイラ展になりました。

餓死した動物のミイラが並んだ写真だけ見ると、あまり気持ちのいいものではありません。なぜ、わざわざそんなことを、と思ってしまいます。そのことを伝える記事の中に、餓死した動物たちを男性がミイラにしている写真がありました。五十一日間戦争では二二〇〇人以上が殺されましたが、亡くなった者たちに対しては、もう何も

ガザの動物園

ロバに白黒のしま模様を塗り、シマウマに見立てた　写真：Newscom／アフロ

2014年の51日間戦争で餓死した動物たちをミイラにして展示する動物園のオーナー　写真：ロイター／アフロ

してあげることができないけれど、その代わりに、餓死して残された動物たちの遺体の一つ一つを、大切に、慈しむように、ミイラにするというその姿に、失われた無数の命に対して彼がそうすることで贖っている、そういう思いを感じました。

世界は何もしない

ガザは実験場です。

二〇〇七年当時で百五十万人以上の人間を狭い場所に閉じ込めて、経済基盤を破壊して、ライフラインは最低限しか供給せず、命を繋ぐのがやっとという状況にとどめおいて、何年かに一度大規模に殺戮し、社会インフラを破壊し、そういうことを十六年間続けた時、世界はこれに対してどうするのかという実験です。

そして、分かったこと——世界は何もしない。

ガザでパレスチナ人が生きようが死のうが、世界は何の痛痒（つうよう）も感じない。彼らが殺されている時だけ顔をしかめてみせるだけ。だから、なるべく攻撃が世界のニュースにならないように、できるだけ短期間におさめるのが得策ということになる。

二〇二二年五月の攻撃は三日で終了しました。世界が報道する前にヒット・エンド・ランです。

いずれにせよ、停戦になったら、すぐ忘れられてしまうのです。

七十五年前、イスラエル建国による民族浄化でパレスチナ人が故国を失って以来、パレスチナの歴史、パレスチナ人の歴史は、難民であろうと、一九六七年の占領下であろうと、西岸やガザであろうと、あるいはイスラエル国内であろうと、集団虐殺の歴史でした。

一九八二年、内戦中のレバノンに侵攻したイスラエル軍はベイルートを占領し、西ベイルート郊外にあったパレスチナ難民キャンプ、サブラーとシャティーラを包囲・封鎖します。

国際法に従えば、占領軍としてイスラエル軍には占領下の住民を保護する義務があるにもかかわらず、PLOの戦士たちがベイルートを追放されて、非戦闘員だけが残された両キャンプに、イスラエル軍は同盟していたレバノンの右派民兵組織を入れました。彼らは九月十六日から十八日の三日間、斧や鉈(なた)でキャンプ住民を虐殺しました。イスラエル軍は夜になると照明弾を打ち上げて、この虐殺を幇助しました。この集団虐殺で二〇〇〇人以上が殺されました。

国連によって、この虐殺はジェノサイダル・アクト――ジェノサイドではないけれどもジェノサイド的行為と認定されています。当時の国防大臣であったアリエル・シャロンは、その責任を問われて国防大臣を罷免されますが、のちに首相に返り咲きます。その後、このジェノサイド的行為の責任を、誰も問われることはありませんでした。

言葉とヒューマニティ

私の専門は文学です。今、私たちが何よりも必要としているのは、「文学」の言葉ではないかと思います。

ガザのパレスチナ人戦士たちを「ハマス」と一括りにした上で、民間人を残忍に殺戮する血に飢えたテロリストのように表象する言葉が溢れています。イスラエル大統領はハマースを、「人間の姿をした化け物」(human monster)、国防大臣は「人間の姿をしたけだもの」(human animal) と呼びました。人間を非人間化するこうした言葉たちに呼応して、パレスチナ人の生、命など一顧だにしない、する必要がないかのような、無差別の爆撃が今、進行しています。イスラエルの地上侵攻がいつ起こるかではなく、今、私たちが目にしている事態は、すでにジェノサイド、大量虐殺です。ハマースと名付けた者たちを非人間化する言葉が氾濫する中で、パレスチナ人が人間であるということを私たちが理解するために、私たちは文学を、文学の言葉を必要としています。文学は、人間にヒューマニティを取り戻させます。

誤解しないでください。文学によって人間性を取り戻すのはパレスチナ人ではありません。私たちです。

パレスチナ人が私たちと同じ人間である、それは当たり前のことです。ユダヤ教徒やクリスチャンならこれを「人間はみな、神の似姿で創られている」と言うでしょう(創世記1章26節)。ムスリムなら「私たちはみな、バヌー・アーダム(アダムの子孫)だ」と言うでしょう。そのことを私たちが理解することによって、私たち自身が人間になります。他者の人間性の否定、それこそがヒューマニティの喪失であり、人間であることを自ら手放すことです。

パレスチナ人の詩人、マフムード・ダルウィーシュは、「詩を作るには生活に余白が必要である」と語っています。文学について語ることも、詩人の詩作ほどではないかもしれませんが、そうした余白が必要だと思います。でも、パレスチナやアラブの文学を専門にしながら、パレスチナやアラブ世界で起きている現実は、私に文学について語るための余白を与えてくれません。

文学は、言葉のアートです。

言葉とは何でしょうか。書くこと、読むこと、考えること、語ること、すべて言葉によってなされます。コミュニケーションは言葉に媒介されます。

私は大学で教えています。私と学生たちを繋ぐのは言葉です。

文学は人文学の一つです。人文学は、英語でヒューマニティーズ（humanities）と言います。言い換えるなら、私は言葉を介してヒューマニティを教えています。私は今、今日この場におられる方々、そしてオンラインで聞いておられる方々に語りかけています。言葉によって、みなさんのヒューマニティに訴えかけています。

言葉とヒューマニティ、それが私たちを今、結びつけています。

言葉とヒューマニティ、それが私たちの武器です。「武器」という禍々しい言葉は、この場合、比喩として不適切かもしれません。まさにその武器なるものによって、今この瞬間にも、ガザの人々が瓦礫の下敷きになって、あるいは肉片になって命を奪われていることを考えると。

しかし、それでも敢えて、言葉とヒューマニティは私たちの武器なのだと言いましょう。なぜなら、これは闘いだからです。

私たちは闘っています。何人(なんぴと)の人間性も否定されることのない世界のために。地球というこの小さな惑星に生を享けたあらゆる人間たちが、互いにかけがえのない友人として、隣人として、兄弟姉妹として——創世記に従えば、私たちはみな、同じ土から創られたアダムの子供たちです——そのようなものとして生きる、そのような世界を実現するために、私たちは闘っているからです。

もう一度言いましょう。ヒューマニティこそが、私たちの武器です。人間の側に、踏みとどまりましょう。

歴史とは何でしょうか。私たちはなぜ、歴史を学ぶのでしょうか。

歴史も人文学、ヒューマニティーズの一つです。学校で歴史を勉強するということは、歴史を「学ぶ」ことと同じでしょうか。私たちは本当に、歴史を学んでいるのでしょうか。学んだ歴史を、今を生きる私たちの教訓としているでしょうか。

衝撃的な出来事や大惨事に見舞われた時、流言飛語や、そうした危機に便乗して意図的に流される言説によって、どのような事態が起きるか。例えば、それが凄まじい集団虐殺の暴力といった形で現れるということを、私たちは、直近の現代史においても、また私たち自身の社会の百年前の出来事においても経験しています。

百年前の関東大震災、そしてその惨事の衝撃にあおられる形で、朝鮮人の集団虐殺がここ東京で、そして神奈川で起きました。この殺戮には、当時のメディアも加担しました。

小池百合子東京都知事は就任二年目から、集団虐殺の犠牲となった朝鮮人追悼式へのメッセージを送ることを頑なに拒んでいます。それどころか、研究者によってそれが歴史的事実であるということが確証されている、その出来事自体を認めていません。これは学問の否定です。人文学的知の否定です。そして、ヒューマニティの否定です。

世界に目を転じれば、二〇〇一年九月十一日にアメリカで起きた同時多発テロのショックで復讐心をあおられたアメリカは、まずアフガニスタンを攻撃します。二〇二一年に米軍が撤退するまでの二十年間で、アフガニスタンでは、直接的な攻撃で殺された民間人は四万六〇〇〇人に上ります。

アメリカの復讐心は、アフガニスタンを攻撃するだけでは満たされませんでした。アフガン侵攻の二年後の二〇〇三年、アメリカは、存在しない大量破壊兵器を口実にイラクに侵攻しました。それがその後のイラクに何をもたらしたか。長期にわたる内戦と破壊で百万人以上が難民となり、NGOイラク・ボディカウントの発表では、二〇〇〇年から一九年までで、イラクの死者は十八万から二十一万人に上ります。

このイラク侵攻に、日本は自衛隊をイラクに派遣して協力しました。憲法前文が謳っていることと真逆のことを行ったのです。そして、イラクの人々を苦しめたのです。

私たちはそのことに責任があります。私たちはそのことを記憶しているでしょうか。

さらにはアフガニスタン、パキスタンで、あるいはイラクで、多数のムスリムが米軍によって何の証拠もないままテロリストの嫌疑をかけられ、キューバのグアンタナモ刑務所に連行され、拷問され、長期にわたって拘留されました。国際法違反の重大な人権侵害です。まさにアメリカは法外の存在として、法外の暴力を行使してきました。

強大な軍事力を持つ国家が復讐心に駆られて軍事攻撃を行う時、それがいかなる暴力、いかなる惨事をもたらすかということを、この二十一世紀の二十年間の歴史だけでも、私たちに教えてくれています。

「憎しみの連鎖」で語ってはいけない

現在の企業メディアの報道に、そうした直近の歴史に対する批判的認識がどれだけ反映されているでしょうか。百年前、メディアが共犯した朝鮮人の集団虐殺に対する反省がどれだけ反映されているでしょうか。むしろハマースを悪魔化し、非人間化し、イスラエルがガザに対して報復する、その攻撃の正当化に積極的に奉仕しているように私には思えてなりません。

八十年前、メディアが大本営発表を唱和して戦争に加担したことに対する戦後の反省は、当時の民主化の時流に乗った単なるポーズに過ぎなかったということでしょうか。「時流に乗る」という観点から見れば、企業メディアの報道は実に一貫している、と言えるかもしれません。

今年の十月七日とそれ以降の出来事に関するメディアの報道は、パレスチナ系アメリカ人の文学研究者エドワード・サイードの批判する「カヴァリング・イスラーム」、つまり、中東などイスラーム世界に関わる出来事を報じることが、むしろ積極的に事実を覆い隠してしまうという、その最新の事例を提供しています。

現在、ガザ、そして一九四八年以降イスラエルと呼ばれるようになった土地で起きている出来事は、十月七日のハマース主導のガザの戦士たちによる奇襲攻撃によって、突然、始まったわけではありません。そのはるか以前に始まっているのです。

しかし、主流メディアの報道を見ていると、この出来事を、「なぜそのような出来事が今、起きているのか」「そこにはどのような歴史的背景があるのか」といった歴史的文脈から切断して、テロ集団「ハマス」がユダヤ人に対する憎しみに駆られてテロを行い、テロに見舞われたイスラエルが、自衛権の行使としてテロ集団殲滅を目指して報復しているというような形で、出来事の、非常に限定的な一部分のみにスポットを当てて、それを「暴力の連鎖」「憎しみの連鎖」といった言葉でまとめています。

二〇〇〇年九月に始まった第二次インティファーダでは、ハマースだけでなく、パレスチナ自治政府を担うファタハもイスラエル領内に侵入し、自爆攻撃をはじめとする軍事作戦を敢行していました。その当時も、「暴力の連鎖」「テロと報復の連鎖」「憎しみの連鎖」といった言葉が、パレスチナ、イスラエルを語る時の枕言葉であるかのようにメディアで使われていました。

こうした言葉でパレスチナについて報道するメディアや記者は、問題の根っこにどのような原因があって今の事態が生じているのかという、その歴史的経緯を知らないし、知らないのに調べもしない。他のメディアが使っているから、なんとなくそう言っておけば問題の本質を語っているかのように見える。あるいは、本当はその経緯を知っているけれども、それを隠したい。そのどちらかだと思います。

パレスチナとイスラエルの間で起きていることは、「暴力の連鎖」でも「憎しみの連鎖」でもありません。これらの言葉を使うかどうかで、それが信頼できるメディアか、信頼できる人物かどうか、その試金石になります。

第二次インティファーダのさなか、ハーバード大学の上級研究員で、ガザの政治経済に関する研究の世界的な第一人者であるサラ・ロイさんが、「ホロコーストとともに生きる――ホロコースト・サヴァイヴァーの子供の旅路」と題するエッセイを書いておられます。

サラ・ロイさんはユダヤ系のアメリカ人で、ご両親はユダヤ系のポーランド人、どちらもホロコーストの生還者です。お母様はアウシュヴィッツの、お父様はヘウムノと呼ばれる生還者が二人しかいなかったという絶滅収容所の生還者で、ヘウムノの収容所跡の入口にある銘板には、サラさんのお父様のお名前が刻まれているそうです。

このエッセイの中でサラさんは、なぜパレスチナ人の自爆攻撃が起こるのかについて次のように書いています。少し長くなりますが、引用します。

イスラエルによるパレスチナ人の占領は、両民族のあいだの問題のもっとも肝心な部分であり、その問題点が解決を迎えるまでそうであり続けるでしょう。過去三十五年のあいだ占領が意味してきたのは、追放と離散でした。家族の分断、軍の統制によって組織的に否定される人権、市民権、法的・政治的・経済的権利でした。何千人もの人々に対する拷問、何万エーカーもの土地の収用、七千以上におよぶパレスチナ人の家の破壊、パレスチナ人の土地に不法なイスラエル人の入植地を建設し、過去十年間に入植者の人口が倍増したこと、パレスチナ人の経済をまず切り崩し、そして今は破壊していること、封鎖、外出禁止、地理的に分断し住民を孤立させること、集団懲罰などでした。

パレスチナ人に対するイスラエルの占領は、ナチによるユダヤ人のジェノサイドと道徳的に等価であるわけではありません。でも、等価である必要などないのです。たしかに、これはジェノサイドではありません。でも、これは抑圧であり残虐なものです。しかも、それは今や、おぞましくもごく自然なことになってしまいました。占領とはひとつの民族が他の民族によって支配され、剥奪されるということです。彼らの財産が破壊され、彼らの魂が破壊されるということなのです。占領がその核心において目指すのは、パレスチナ人が自分たちの存在を決定する権利、自分自身の家で日常生活を送る権利を否定することで、彼らの人間性をも否定し去ることです。占領とは辱めです。絶望です。そして、ホロコーストと占領が道徳的に等価でもなく対称でもないように、占領者と被占領者もまた、道徳的に等価でもなければ対称でもありません。たとえどんなにわたくしたちユダヤ人が、自分たちのことを犠牲者と見なしたとしても、です。

　そして、恐ろしい忌むべき自爆行為が立ち現れ、より罪なき者たちの命を奪っているのは、広く忘れ去られていますが、まさにこの剥奪と窒息状態という情況（コンテクスト）においてなのです。なぜ、罪のないイスラエル人たちが――そこには、わたくしのおばや彼女の孫たちも含まれます――、占領の代価を支払わなくてはならないのでしょうか。入植地や、破壊された家々や、封鎖用バリケードは自爆者に先立って存在しているものですが、それらとてもとからそこに存在したわけではないのと同じように、自爆者もまた、最初からそこに存在していたわけではありません。

（サラ・ロイ「ホロコーストとともに生きる――ホロコースト・サヴァ

（イヴァーの子供の旅路」岡真理訳、「みすず」二〇〇五年三月号）

今から二十年以上前、ガザの封鎖が始まる前に書かれた文章です。まだツイッターもインスタグラムもなかったあの当時、毎朝パソコンを起動させ、メールの受信フォルダを開くと、第二次インティファーダの只中にいるパレスチナ人たちから悲鳴のようなメールが届いていました。

毎日、占領下のパレスチナのどこかで誰かが殺されていて、家族や友人や知人や隣人の誰かを殺されていない人など誰もいないという状況でした。その状況が、二十年後の今、振り返ると、のどかなことのようにすら思えてしまいます。四年半にも及んだ第二次インティファーダにおけるパレスチナ人の死者は三〇〇〇人ぐらいなのです。

つねに最悪を更新し続けるパレスチナ。ガザも西岸も、現在の状況は二十年前の当時から指数関数的に悪化しています。今と比べればイスラエル軍の抑圧もまだマシだった。でも、当時は、本当にその当時は、それがかつてない最悪の事態であったのです。

この時、サラさんは断言しています。イスラエルがパレスチナ人に対して行っていることは――ユダヤ人がどれだけ自分たちを犠牲者とみなそうとも――他者の人間性の否定という点において、ナチスがユダヤ人に対して行ったことと等しいのだと。そしてパレスチナ人による恐ろしい、忌むべき自爆攻撃はどこから立ち現れてくるか。「自爆者もまた、最初から存在していたわけではない」と彼女は語ります（サラさんが文章の中で「自爆テロ」という言葉を用いず、「自爆行為」と言っているという点にも注意してください）。

つまり、そこには自爆者を生み出すに至った原因があるということです。では、その原因とは何なのか。それは、占領という、剥奪と窒息状態である。占領という、他者の人間性を否定する暴力こそが、出来事の根源にあるのだとサラさんは語っています。逆に言えば、この占領という暴力の問題に正面から向き合わない限り、現在進行形で生起している暴力についても私たちは正しく理解することもできないし、正しく理解することができなかったら、正しく解決することもできないということです。「暴力の連鎖」「憎しみの連鎖」という言葉で、パレスチナ、イスラエルで起きていることを語るのは、端的に言って誤りであり、事実の歪曲であり、事実の隠蔽です。

西岸で起きていること

ガザと西岸地区は、一九六七年にイスラエルに軍事占領されて以来、撤退せよという安保理決議にもかかわらず、今日までずっとイスラエルの軍事占領下にあります。安保理決議違反の占領は、あと四年で六十年を迎えようとしています。

想像してみてください。

六十歳以下の人たちは、生まれた時、あるいは物心つく以前からずっと、イスラエルの軍事占領下で、イスラエル兵から銃口を突きつけられながら、人間としての全き自由も平等な権利も奪われたまま生きてきたのです。一九九〇年八月、イラクに侵攻され、占領されたクウェートが、その七カ月後には解放されていたのとは、なんという違いでしょうか。

そして、先ほども述べたように、ガザでは二〇〇七年から国際法違反の完全封鎖が続き、経済基盤が破壊されたガザに、十六年以上にわたって閉じ込められ、六割以上の者たちが満足に食事も摂れない状況に置かれ、八割の世帯が国連をはじめとする支援団体の配給で辛うじて食いつないでいるという状況です。

ガザの人道危機は、十月七日のハマース主導の奇襲攻撃によって突然生まれたわけではないのです。そのずっと前から、イスラエルの政治的意図によって、つまり、ガザのパレスチナ人を、今日を食いつなぐのがやっとというような、そういう状況にとどめおくことで、「占領からの解放」「主権を持ったパレスチナ独立国家」などといった政治的な主張をさせまいとする、そのために、ガザの人たちは人為的に創られた人道危機の状態に置かれていたのです。

二〇一二年、国連は、ガザの封鎖がこのまま続けば、二〇二〇年にはガザは人間が生きることのできない状態になると警告していました。世界は、それをずっと関心の埒外に捨ておいてきました。

また、西岸では国際法違反の入植地建設が進行し、イスラエル軍と入植者による暴力が日常化しています。西岸では、今年二〇二三年の上半期だけで、入植者によるパレスチナ人に対する暴力が六〇〇件ありました。月平均一〇〇件あるということです。イギリスのガーディアン紙の十月二十日付の記事によれば、今年一月一日から九月十九日まで、西岸では一八九人のパレスチナ人が、入植者と軍によって殺されています。さらに、十月七日以降だけでも六十四人が殺され、七十七のヘルスケア施設が襲

撃されています。（十月二十三日時点）
ベツェレムというイスラエルの人権団体は、ユダヤ人入植者による暴力を「国家がスポンサーになっている暴力（State Sponsored Violence）」と呼び、ウェブサイトに、入植者の暴力行為を撮影した動画などをアップしています。パレスチナ人の住宅に集団で石を投げて攻撃したり、パレスチナ人の車が停まっていたら窓を叩き割ったり、パレスチナ人の農家の畑に火をつけたり、あるいは家に放火したりなど、やりたい放題の暴力を、軍に護られながらやっているのです。それに対してパレスチナ人が少しでも抗議しようものなら、その場で逮捕されて、無期限に拘留されてしまう。
イスラエルのイタマル・ベン＝グビルという、ネタニヤフ政権が連立している極右政党の党首で、現在、治安大臣を務めている人物は、今の状況下で、西岸の入植者にさらに一万丁のライフルを提供すると言っています。
二〇〇三年の米軍その他によるイラク侵攻の時、世界の耳目がイラクに集中しました。それをいいことに、占領下のパレスチナでは、イスラエル軍によるパレスチナ人の殺害が非常に増加しました。それと同じことが今、西岸で起きています。世界の目がガザに向いているのを利用して、西岸でも、武装した入植者とイスラエル軍による、パレスチナ人に対する襲撃が現在、エスカレートしています。

つまり、問題の背景には、西岸とガザに限っても、六十年近いイスラエルによる占領がある。パレスチナ人に対する法外な占領の暴力がある。そのことが主流メディアの報道を通して巷間流布する言説においては、ほとんどまったく捨象されてしまっています。十月七日とそれ以降の出来事のすべてが、「ハマスによるテロ」というものに還元されて、出来事の根源にある問題を問わない構図が出来上がっています。

十月七日の攻撃が意味するもの

十月七日、ハマース主導によるガザのパレスチナ人戦士たちは、彼らを十六年以上も国際法に違反して閉じ込めていたガザを囲むフェンスを突き破って、あるいはパラグライダーで、あるいはモーターボートで、越境攻撃を行いました。それは、占領下に置かれた者たちの、占領者と占領軍に対する抵抗の反撃です。

日本のメディアではほとんど報道されていませんが、まず、彼らはガザの周辺にある十二のイスラエルの軍事基地を占拠しました。そこにいたイスラエル兵を捕虜にして、その後、イスラエル軍との交戦になり、基地にいた戦闘員たちは全員殺されたのだと思います。このことにはほとんど触れられず、キブツと野外音楽祭が襲撃され、そこで民間人が殺されたことばかりが強調されて、報道されているように思います。

占領下にある者たちが、占領からの解放のために、占領軍に対して武力を用いて抵抗することは、国際法上、正当な抵抗権の行使です。しかし、この時には守るべきルールがあります。民間人に対する攻撃や、民間人を人質に取ることは、国際人道法違反であり、戦争犯罪です。占領からの解放を目指す武装抵抗が正当なものであるとしても、戦争犯罪に当たるこうした行為は許されるべきものではありません。国際法に則って、戦争犯罪としてきちんと裁かれるべきことです。だからといって、占領下のパレスチナ人が、イスラエルによる占領からの解放を求めて戦うということ、それ自体が違法化されるわけではありません。

間違った戦術を取ったことによって、解放を求める彼らの戦い、その要求自体が全否定されるものではないと思います。目的が正しいからといって、そこで取られる手段のすべてが正当化されるわけではありません。逆に、手段を誤ったからといって、そもそも正しいとされている目的が全否定されるわけでもありません。

十月十日に、コロンビア大学の歴史学の教授で、パレスチナ系アメリカ人であるラシード・ハーリディ教授によるオンライン講演会がありました。そこでハーリディ教授は、まず歴史学者として、アルジェリアやアイルランド、ベトナムなどの例を挙げ、これまでの様々な民族解放闘争において、解放闘争をする側もテロを行うことがあったということを、歴史的な事実として指摘しています。

フランスの植民地支配からの解放を目指したアルジェリアの民族解放戦線（FLN）も、植民者を集団虐殺しています。映画『アルジェの戦い』で描かれているように、アルジェのカフェで爆弾テロも行っています。しかし、だからといってフランスによるアルジェリアの植民地支配が正当化されるわけではありませんし、民族の解放を目指してアルジェリアの人々が闘うことが間違っている、ということにもなりません。ハマース主導の奇襲攻撃における民間人に対する攻撃と拉致が戦争犯罪であるとしても、その一事をもって、イスラエルによる占領という犯罪の継続や、それを維持するために占領下の人々を無差別に爆撃するというようなことが正当化されるわけではありません。

日本の報道では、今回の奇襲攻撃において、パレスチナの戦士たちがガザ周辺のイスラエルの軍事基地を攻撃し、その兵士らを捕虜にして、短時間ではあれ、それらの基地を占拠したことにはほとんど触れられていません。民間人に対する攻撃とガザへの連行のみが強調されることで、「ハマースが、占領という不正から民族を解放するための運動組織である」という事実は消し去られ、単なるテロ集団に歪曲されています。さらにイスラエルは、ハマースをＩＳ（イスラム国）になぞらえることで、彼らの奇襲攻撃に何の大義もないかのように、そして、自分たちの攻撃をテロに対する自衛の戦いのように見せかけています。すべては、問題の根源を覆い隠すためです。

明らかになってきた事実

アメリカのユダヤ系ジャーナリストが立ち上げた、「モンドワイス（Mondoweiss）」というパレスチナに関する情報サイトで、今日（十月二十三日）、こんな記事がトップニュースになっていました。今回のイスラエル側の死者は、一体どういう人たちが、誰によって、どのように殺されたのかを分析した記事です。*

「十月七日の攻撃でのイスラエルの民間人・軍人の死について、イスラエル軍に責任があるとする報告が増加」（A growing number of reports indicate Israeli forces responsible for Israeli civilian and military deaths following October 7 attack）と題されたその記事によると、イスラエルは「ハマースが民間人を殺害した」と言っていたが、そうではないとする情報がどんどん出てきていると言います。

記事の筆者は「匿名の寄稿者」（Anonymous Contributor）となっています。記事の冒頭に「イスラエル内で、批判的な声に対するファシズム的な迫害が激化しているため、この記事の筆者は身の危険を感じ、氏名を公表しないよう編集部に依頼があった」と編集部による注が付されています。この記事を書いたのはイスラエル内部の人で、イスラエル政府や軍を批判することで迫害されるのを恐れて、匿名になっているのです。

詳しいことはこの記事をお読みいただきたいのですが、簡単に言えば「ハマースが占拠したイスラエルの基地に対して、イスラエル軍の司令官自身が空爆を指示した。まだパレスチナの戦闘員が占拠してイスラエル兵を捕虜にとっている、あるいは交戦中の基地にイスラエル軍、治安部隊がやってきて、イスラエル軍が爆撃した可能性がある」ということです。つまり、イスラエル軍は軍事基地のパレスチナ人戦士を殲滅するために空爆し、自国兵士であるイスラエル兵もろとも殺害したという可能性があるということです。数日前には、イスラエルの国営ラジオ放送のインタビューで、キブツで一旦は人質になりながら解放されたユダヤ人女性の証言が放送されました（P78参照）。自分たちを人質にとったパレスチナの戦闘員たちは人道的に扱ってくれたと彼女は語っています。頻繁に水もくれて、室内は暑いからと外に涼みにも出してくれたと。

彼女とともに人質になっていた者たちは一人を除いてみんな殺されたのですが、殺したのは到着したイスラエルの治安部隊だったと彼女は証言しています。外で涼んでいたイスラエル人の人質たちはパレスチナ人戦闘員もろとも殺されたと。彼女は、一人のパレスチナ人の戦士が投降すると決めて、彼女を人間の盾にしたことで家を出ることができました。しかし、イスラエルの治安部隊は中にまだ人質が残っているその家を砲撃して、こっぱ微塵にしました。

パレスチナ側の攻撃で殺された民間人がいなかったわけではありません（AP通信のファクトチェックでは、三件の民間人殺害が確認されています）。しかし、それは、イスラエル軍、あるいはイスラエル政府が発表しているような内容とは、だいぶ違うのではないかという情報が出てきています。

今回の奇襲攻撃におけるいくつかの行動が国際人道法違反で戦争犯罪を構成するものであることは確かです。ここでご紹介したいのは、ガッサーン・カナファーニーという作家の言葉です。彼は一九三六年、パレスチナのアッカーに生まれ、十二歳の時にイスラエル建国によって難民となり、のちにジャーナリスト・作家となって、一九七二年、三十六歳でイスラエルの諜報機関に爆殺、暗殺されました。カナファーニーは、遺作となった『ハイファに戻って』という中編小説の中でこのように書いています。

きみたちはいつになったら、他者の弱さや過ちを、自らの特権を裏書きするものと見なすことをやめるのだろうか。（……）私たちがずっと過ちを犯し続けるとでもきみは思うのか？　ある日、私たちが過ちを犯すのをやめたら、きみたちに何が残るのだ？

著者訳『季刊 前夜』12号

イスラエル側は、パレスチナ人が犯した過ち、それだけを口実にして、自分たちの犯罪行為をずっと正当化してきました。

たしかに私たちは過ちを犯した。それは認めよう。では、私たちが過ちを正したなら、あなたたちにはいったい何が残るのか――カナファーニーはイスラエルにそう問うています。まるで、今日の事態を預言していたかのような言葉です。

＊ https://mondoweiss.net/2023/10/a-growing-number-of-reports-indicate-israeli-forces-responsible-for-israeli-civilian-and-military-deaths-following-october-7-attack/

問うべきは「イスラエルとは何か」

十月七日以来、「ハマースとは何ですか」と何度も質問されました。テレビなどでも、ハマースとは何かとさかんに議論しています。しかし、これは誤った問いだと私は思います。誤った問いから、正しい答えは出てきません。

先ほどご紹介した作家のカナファーニーも属していたＰＦＬＰ（パレスチナ解放人民戦線）が、マルクス・レーニン主義を掲げる民族解放運動であったのと同じように、ハマースというのは、イスラーム主義を掲げる、占領からの民族解放を求める運動組織です。なぜ、解放を求めるのか。それは、イスラエルによる占領があるからです。イスラエルが国際法上、占領を行っているというのは客観的事実です。そして、先ほども申し上げたように、被占領者が占領と戦うことは、武装闘争も含めて、国際法的には正当な抵抗権の行使です。主流メディアはこの事実をしっかりと論じません。ハマースが武装闘争を行っているということで「テロ集団」であるかのように伝えています。

「ハマースとは何か」、ではなく、むしろ問うべきは、**「イスラエルとは何か」**だと思います。イスラエルとは何か、どのように建国されたのか、それがこの問題の根っこにある原因です。

イスラエルは、パレスチナに対して行使するありとあらゆる暴力を、自分たちがユダヤ人であること、ホロコーストの犠牲者であることをもって正当化して、自分たちに対する批判の一切合切を「反ユダヤ主義」だと主張してきました。日本のマスメディアはあたかも、イスラエル＝ユダヤ人であるかのように報道しています。

それに対して、十月十八日に、アメリカの正統派のユダヤ系市民たち五百人が、ガザで進行中のジェノサイドに抗議して、アメリカ議会施設を占拠しました。三百人が逮捕されたと言われています。

アメリカは、イスラエルに対して、毎年多額の軍事予算を提供し、軍事支援をしています。さらに今回も追加の武器供与をアメリカは決めています。一方で、バイデン大統領は、ガザの復興予算、人道支援予算を議会に要請している。完全なマッチポンプです。

そんなアメリカで、ユダヤ系市民たちが議会施設を占拠し、また議会の外でも抗議集会を行い、イスラエルに対して、「お前たちが行っている犯罪をユダヤ人の私たちの名前によって行うな」「自分たちの肉親や親族、愛する者が殺されたホロコーストの記憶を、パレスチナ人を殺戮することの正当化に利用するな。それは、ホロコーストの死者たちに対する冒瀆だ」とイスラエルに抗議しているのです。

この抗議集会に参加していたユダヤ人女性の発言をご紹介します。

ユダヤの教えが、私たちを今日、この場に導きました。人間はみな、神の似姿で創られていると聖書が教えているから、だけではありません。イスラエル政府から今、発せられている言葉が、ジェノサイドをもたらすものだからです。(……)ユダヤ人だから、私たちにはそれが分かります。だから、私たちは痛みを通して声を上げなければならない。私たちは声を上げなければならないのです。なぜなら、私たちはよく知っているから。住民全体を爆撃するということを語りながら、人間の姿をしたけだものなどと言うことが、どこに至るのか、ということを。*

マスメディアが報道するのは、イスラエルのキブツでハマースに対する復讐心をたぎらせるユダヤ人の声です。でも、今、世界で多くのユダヤ人がそれとは真逆の声を上げています。ユダヤ人であるとは、ユダヤ教の教えを、自身の生きる倫理に据えるということです。ユダヤ教の教えそのものを踏みにじるイスラエルが、ユダヤ人の名によって、ホロコーストの記憶を利用して、ホロコーストと同じジェノサイドをしている。それに対するユダヤ人としての、アメリカ人としての、人間としての痛み、苦しみ故に、多くのユダヤ人が声を上げているということを、どうか知ってください。

＊ https://www.palestinechronicle.com/ceasefire-now-pro-palestine-protesters-stage-large-sit-in-us-capitol-videos/

シオニズムとパレスチナ分割案

先ほど引用したサラ・ロイさんは、そのエッセイの中で、「パレスチナで起きている状況はジェノサイドではない」と言っていました。

たしかに、これまでパレスチナで起きた個々の出来事における死者の数から言えばジェノサイドと呼べる規模ではありませんが、一方、イスラエル出身のユダヤ人の歴史家イラン・パペは、イスラエルによるパレスチナの民族浄化の暴力を「漸進的ジェノサイド」(incremental genocide) と呼んでいます。つまり、一九四八年のナクバから七十五年後の今日まで、徐々に徐々に進行してきた（近年はとてつもないスピードでその規模がエスカレートしていますが）、そういう、七十五年という歳月をかけて漸進的に進行するジェノサイドだという意味です。

一九四八年、イスラエル建国により、もともとそこに住まっていたパレスチナ人は祖国を喪いました。ヨーロッパのユダヤ人が、ユダヤ人によるユダヤ人のためのユダヤ人の国、一言で言えば「ユダヤ人至上主義の国家」を創ったからです。

十九世紀末のヨーロッパで、フランスのドレフュス事件を契機に、ヨーロッパ・キリスト教社会の歴史的宿痾とも言うべきユダヤ人差別・反ユダヤ主義からユダヤ人が解放されるには、ユダヤ人がマジョリティを占めるユダヤ国家を創るしかないという考えが生まれ、パレスチナにユダヤ国家を建設するという政治的プロジェクト「シオニズム」が登場します。

第二次世界大戦後のヨーロッパでは、ホロコーストを生き延び、ナチスの支配から解放されたけれど帰るところのない、行く当てのないユダヤ人が二十五万人も難民となっていました。このユダヤ人難民たちをどうするかというのが、連合軍、あるいは当時発足したばかりの国際連合にとって大きな課題の一つでした。「国際社会」はそれをどう解決したのか。

パレスチナにユダヤ人の国を創るというプロジェクト、シオニズムがすでに存在し、十九世紀末からパレスチナへの入植が始まっていました。言ってみれば、これに乗っかる形で、一九四七年十一月、国連総会はパレスチナを二つに分割し、そこにユダヤ国家を創るということを可決しました。

この分割案が総会にかけられる前、アドボック委員会がこれを子細に検討して、法的に違法である、国連憲章違反だと言っています。アラブ国家は経済的に持続不可能になる。何と言っても、ホロコーストはヨーロッパで起きた、ヨーロッパの犯罪です。その犯罪の代償を、パレスチナにヨーロッパのユダヤ人の国を創ることでパレスチナ人に支払わせるというのは、政治的に不正である。こんな分割は、仮に可決されたとしても機能しない、"unpractical"(非現実的)だと断言しています。

アメリカ国務省も当初は反対していました。その地域の住民が明らかに不幸になるということが分かっている案に賛成することはできないと。しかし、トルーマン大統領の介入によって、特別委員会でこの案が可決され、総会にかけられ、アメリカとソ連による多数派工作により賛成多数で可決されてしまいました。

しかし、この分割では、ユダヤ国家は人口の四割をアラブ人が占めることになります。イスラエルの初代首相になるベングリオンは、ユダヤ国家ができたとしても、ユダヤ人人口がたったの六割では安定的かつ強力なユダヤ国家にはならないと言いました。つまり、ユダヤ国家の領土から、可能な限りアラブ人を排除しろということです。

その結果、この分割案の直後から、翌年五月のイスラエル建国を挟んで四九年の冬まで一年以上にわたって、パレスチナの各地で、ユダヤ民兵組織、あるいはイスラエル建国後はイスラエル軍による、パレスチナ人に対する民族浄化の嵐が吹き荒れることになります。のちにイスラエルとなるパレスチナの各地で集団虐殺が起こります。

イスラエル建国の一カ月前の四月九日には、デイル・ヤーシーンというエルサレム郊外にあるアラブ人の村で、老若男女を問わず百人以上が集団虐殺されました。

首謀者が犠牲者の数を倍増して発表したこともあって、長らくこのデイル・ヤーシーン事件が、ナクバにおける集団虐殺を代表するものだと考えられていましたが、その後の研究で、中にはデイル・ヤーシーンを上回る規模のものもあったことが分かっています。要するに見せしめです。パレスチナに残っていたら、これがお前たちの運命だという見せしめです。

パレスチナ人は逃げました。残っていたら、殺される、娘がレイプされるという恐怖に駆られて。

先ほどご紹介したイラン・パペは、「一九四八年、パレスチナの地でパレスチナ人の身に起きたことは、言葉のあらゆる定義に照らして民族浄化に他ならない」と言っています。

イスラエルという国は、パレスチナ人に対するこうした暴力的な民族浄化の上に創られました。『シンドラーのリスト』をはじめホロコーストを描いたハリウッド映画では語られることのない歴史の事実です。

なぜ、民族浄化を行ったのか。「ユダヤ人によるユダヤ人のためのユダヤ人の国」を創るためです。

ナクバと同じ年に採択された世界人権宣言で、人はすべて「自国に帰る権利を有する」と謳われています。さらにその翌日の国連総会の決議で、難民になったパレスチナ人には即時帰還の権利がある、イスラエルは彼らが故郷に残してきた財産を、もし彼らが帰還しない場合は補償するように、という決議も採択されている。しかし、七十五年経ってもそれは実現していません。イスラエルがパレスチナ難民の帰還を認めないためです。

ここで強調したいのは、シオニストが「ユダヤ国家」と主張するイスラエルという国は、アラブ人やムスリムに対する、ヨーロッパ人のレイシズムに基づく植民地主義的な侵略と暴力的な民族浄化によって創られたということ。そしてその民族浄化の暴力は、パペが漸進的ジェノサイドと表現するように、現在に至るまで、形を変えてずっと続いているということです。

ヨーロッパ・キリスト教社会における歴史的なユダヤ人差別と、近代の反ユダヤ主義、その頂点としてのホロコースト。西洋社会はこれらの罪を、パレスチナ人を犠牲にすることで贖ってきました。そして今、アメリカもEU四カ国も、今回のイスラエルの攻撃に賛同し、アメリカに至ってはこれを支援している。西洋諸国は今もなお、その歴史的暴力を行使し続けています。

イスラエルのアパルトヘイト

もう一つ重要な点として、イスラエルは、アパルトヘイト国家である、という事実。

パレスチナに関わる人権団体や国連の専門家が常々主張していることとです。

アムネスティ・インターナショナルは、イスラエルが行っていることは、パレスチナ人に対するアパルトヘイト（人種隔離政策）であると言い切っています。人道に対する罪であるとして、「パレスチナ人に対するイスラエルのアパルトヘイト」という全二八〇ページの報告書を出しています。[*1]

南アフリカ共和国のアパルトヘイトを廃絶するために、世界は長らく南アフリカをボイコットしました。南アフリカには投資しない、貿易しないと。アパルトヘイトが廃絶されるまで、南アフリカのスポーツ選手はオリンピックなどの国際試合にも出られませんでした。

二〇二二年、アフリカ民族会議（ANC）が開催した、イスラエルに対するBDS（ボイコット、投資引き上げ、経済制裁）を支援する国際連帯会議の席上、ドイツの代表が、「イスラエルを南アフリカのアパルトヘイトになぞらえることはできない」と異議を唱えました。すると、南アフリカの政治家でANC議長のバレカ・ムベテは言下に反論し、「自分はパレスチナに行ったことがあるが、イスラエルがやっていることは、南アフリカのアパルトヘイトと比較できるだけでなく、それよりはるかにひどい（far worse）ものだ」と語りました。[*2]

国際人権団体ヒューマン・ライツ・ウォッチも、"A Threshold Crossed"(踏み越えられた閾値)という報告書を出していて、その中で「アパルトヘイトという言葉の定義に照らして、イスラエルはアパルトヘイト国家にほかならない」として、ユダヤ人至上主義をやめよとイスラエルに訴えています。[*3]

つまり、かつてANCが南アフリカのアパルトヘイトと闘っていたように(当時、ANCは「テロ組織」、ネルソン・マンデラも「テロリスト」とされていました)、ハマースをはじめPFLPその他、ガザの諸組織、そして占領下のパレスチナ人は、アパルトヘイト国家のイスラエルと闘っているのだということです。

イスラエルによるこうした人権侵害の諸々というのは、アムネスティやヒューマン・ライツ・ウォッチ、さきほど

アムネスティ・インターナショナルのレポート

出典:https://www.amnesty.org/en/documents/mde15/5141/2022/en/

紹介したイスラエルの人権団体ベツェレム、現地のパレスチナ系の人権団体などが日々、調査して世界に向けて報告しています。一方、イスラエル政府は、パレスチナにある六つの人権団体をテロ組織と認定しています。イスラエルの人権侵害の犯罪を告発する者たちは、イスラエルにとってテロリストだということです。イスラエルが言う「テロリスト」がいったいどのようなものか、これでご理解いただけると思います。

＊1　https://www.amnesty.org/en/documents/mde15/5141/2022/en/
＊2　https://electronicintifada.net/blogs/ali-abunimah/israel-far-worse-apartheid-south-africa-says-anc-chair-pretoria-conference-backs
＊3　https://www.hrw.org/report/2021/04/27/threshold-crossed/israeli-authorities-and-crimes-apartheid-and-persecution

人道問題ではなく、政治的問題

もう一つ強調したいのは、パレスチナ問題の根源にある、イスラエルによる占領、封鎖、アパルトヘイト、そして、難民の帰還——これらはすべて、**「政治的な問題」**

だということです。

植民地支配されている国の独立が、政治的な解決を必要とする政治的問題であるのと同じく、パレスチナ問題は政治的な問題です。しかし、イスラエルは人為的にガザに大規模な人道的危機を創り出すことによって、本来は政治的問題のはずのものを「人道問題」にすり替えています。

よくガザは「天井のない世界最大の野外監獄」だと言われますが、今の状況は監獄どころではないです。囚人が無差別に殺される、こんな監獄ありますか。少なくとも十月七日以降のガザを「世界最大の野外監獄」と言うのは間違っています。監獄でこんなことは起きないです。もはや絶滅収容所です。

問題の解決に必要なのは、政治的解決です。

でも、こんな状況になったら、人道支援を優先せざるを得ないですよね。今回、日本も十五億円の人道支援をすぐに表明しましたが、これまでもそうでした。政治的な解決を放っておいて、破壊されるたびに復興支援や人道援助だけをしても、また次の攻撃で破壊される。私たちの税金が、これまでずっとそんなふうに使われていることにも、私たちは怒らなくてはいけない。十何億円支援したって、次の攻撃があれば、また瓦礫になってしまうのです。

もちろん、今生きていくためにはそうした人道支援は不可欠です。でも、封鎖や占領という政治的問題に取り組まずに、パレスチナ人が違法な占領や封鎖のもとでなんとか死なずに生きていけるように人道支援をするというのは、これは、封鎖や占領と共犯することです。だから、政治的な解決をしなければいけないんです。

南アフリカのアパルトヘイトに対して、世界は、人種差別をしている白人至上主義、白人政権の南アフリカとは貿易しないと決めました。でも、世界がアパルトヘイト廃絶のためにボイコットした南アフリカの市場で、競争相手がいないのをいいことに、製品を売りまくったのが日本です。

ノーベル文学賞を受賞した南アフリカの作家、J・M・クッツェーの小説などを読んでいると、登場人物が「トヨタ」に乗るというような描写が出てきます。わざわざ日本車であるということが明示的に書かれている。これってすごく恥ずかしいことではないですか。

二〇一四年、来日したネタニヤフ首相と、安倍首相（当時）は、「日本とイスラエルの包括的パートナーシップの構築に関する共同声明」を発表しています。これも、恥ずかしいことの一つです。

その一方で、日本で反アパルトヘイトの運動に携わり、三十年にわたり地道に活動してきた人たちも大勢います。（具体的にどのような人たちが、どのような活動を担われたのか、「アフリカ行動委員会」の楠原彰さんが「反アパルトヘイト運動の経験を振り返る」という文章にまとめておられます*）

アウシュヴィッツを生き延びたユダヤ系イタリア人の化学者・作家のプリーモ・レーヴィは、生涯ずっと、ヨーロッパの若者たちに、絶滅収容所、ホロコーストがどういうものであったかを語り続け、書き続けてきました。

ある時、彼の講演を聞いていたドイツ人が、講演後、レーヴィのもとにやって来て、「私はドイツ人であることが恥ずかしい」と言ったそうです。それに対してレーヴィは何と答えたか。

「私は人間であることが恥ずかしい」

それが、レーヴィの答えでした。

最後に、ネルソン・マンデラの言葉をご紹介して、私の話を終えたいと思います。

「パレスチナ人が解放されない限り、私たちの自由が不完全であることを私たちは熟知している」

マンデラ大統領のこの言葉を、南アフリカの人はみんな知っているそうです。南アフリカはアパルトヘイトを廃絶して、経済的に構造的な不平等は残っているけれども、政治的には一人一票の平等が実現した。しかし、パレスチナ人が解放されない限り、言い換えれば、レイシズムと植民地主義に由来する人種的不平等のアパルトヘイトのもとでパレスチナ人が抑圧されている限り、南アフリカの自由と解放の闘いも完結しないということです。

ご清聴ありがとうございました。

＊ https://ajf.gr.jp/africanow102-anti-apartheid-movements/

質疑応答

**質問：ガザに対して、パレスチナに対して、
今、私たちにできることは何でしょうか。**

私たちに何ができるのか。

いろんなことができると思います。「できる」というのは、この状況を変えるためにどんな実効性のあることができるのか。また、しなければならないことの中で、何ができるのか、この二つがあると思います。

ただ、何ができるかというよりも、むしろ、今、私たちは何を「しなければならないか」だと思うんです。

しなければならないこと、それはいっぱいあります。本当にいっぱいある。

一つはまず、とにかく、この戦争をやめさせることです。イスラエルにこの攻撃をやめさせるために、できる限りのことをすること。そのための声をあげること。

アメリカ大使館前に行って抗議をする。イスラエル大使館前に行って抗議をする。

お前たちがやっていることを私たちは許さないんだという意思を示すということ。それはすごく重要だと思います。

先週、イスラエル大使館前に集まったのは六五〇人でした。アメリカ大使館前は三五〇人でした。でも、これが日毎にどんどん増えていったら、彼らはやっぱりそれを無視することはできない、と思いたいです。

それから、日本政府、日本外務省に対しても。日本の選挙権を持っている者は、日本が政府として、国として行うことに国民として責任がある。先ほども言いましたように、国連総会でイスラエルの戦争犯罪を裁くという調査を、日本は棄権しているんです。それはもう恥ずかしいですよね。そういうことをさせない、ということです。

ラジ・スラーニさんの言葉「とにかく国際法を適用してほしい」、それを実現させるためには、人道支援も必要だけれども、それだけじゃいけないんです。これまで、それだけしかしてこなかったから、この歴史的不正がずっと続いているんです。人道危機も続いているんです。

これを根本的に解決するために、とにかく政治的に解決しろと、声を上げる。日本がイスラエルとの「包括的パートナーシップの構築に関する共同声明」なんていうものを結んだら、それに抗議する。撤回を求める。

政治的解決には無関心で、この不正を放置し、復興支援だけして、それが次の攻撃で瓦礫となるのを繰り返してきた、そういう形で税金を浪費してきたことの責任を追及する。

ほかにもいろいろありますが、もっとも基本的なことは、やっぱり正しく知ることです。まずは正しく知る。それから、周りの人にそれを知らせる。どんな形でもいいです。

また、ネットの中には非常に理性的な、バランスの取れた記事があります。ただ、それはニュートラルということではありません。この状況の中で「中立」などと言うのは、虐殺している側に加担していることになると私は思います。

伝えるべき情報が、英語メディアではいっぱいあります。二〇一四年の五十一日間戦争の時、私は毎日そういう記事を選んで日本語に訳し、メーリングリストに流していました。日本の場合、リンクを貼るだけではダメで、翻訳して、ポイントを説明する解説をつけないと分かってもらえません。できるだけ多くの記事に触れてほしいから、短い記事をいつも二、三本選んで訳していました。

今も、とても追いつかないぐらい、いろんな貴重な情報があります。先ほどもご紹介したようなアムネスティのレポートなど、様々な団体の報告などもぜひ読んでみてください。

要するに、ポイントは、「イスラエルとは何か」ということなんです。イスラエルは、莫大な国家予算を投入して、世界規模で市民社会に対してプロパガンダを行っています。これを公共外交（パブリック・ディプロマシー）といいます。外交は普通、外交官同士、国同士が、政府レベルでやるものですよね。しかし、イスラエルは世界の市民をターゲットにして、自国の国益に利するような、フェイクも含む情報をいっぱい広報しています。そのための特別な機関を作り、国家予算を投入しています。

アメリカのブリンケン国務長官はこの十月にイスラエルを訪問し、「私は今日ここにユダヤ人として来た」と語りました。イスラエルが攻撃されたことを、彼らがユダヤ人だから攻撃されたかのように、反ユダヤ主義、ホロコーストのコンテクストに位置付けたわけです。これはイスラエル側のプロパガンダです。

こんな時に私たちができること、しなければいけないことは、今、パレスチナで占領からの解放を求めてパレスチナ人たちが闘っている、それは歴史的にずっと行われてきた闘いなんだということをしっかり知らしめていくことです。

とりわけ、主流メディアがそれを報じないからこそ、ＳＮＳなどを駆使して広めていくことがものすごく大切だと思います。昨日のＮＨＫスペシャルでは、問題の根源に向き合わないとダメなんだということまでは言ったけれど、では、その問題の根源は何かとなると、曖昧なままでした。

問題の根源は、入植者による植民地主義です。ここで問われているのは、植民地主義的侵略の歴史にどう向き合うか、ということです。それは、日本の歴史の問題、日本に生きる私たちの問題でもあるのです。だから、主流メディアは、そこに踏み込まない。日本は、こうした点でもイスラエルと歴史的な共犯関係、同盟関係にあるんです。

ジュリアーノ・メル＝ハミースさんという、パレスチナ人の俳優から聞いた、忘れられない言葉があります。彼が二〇〇五年に来日した時、京都のウトロ地区を案内しました。ウトロとは、アジア太平洋戦争中に、国策による軍事飛行場建設のために朝鮮出身の労働者たちが集められたところです。戦後、そこには行く当てのない在日コリアンたちが残されましたが、バブルの頃、その土地がいつの間にか不動産業者に転売され、住民たちに土地の明け渡しを求める訴訟がなされ、住民の敗訴が確定しました。私たちが訪れたのは、いつ強制執行が行われてもおかしくないという頃でした。

ジュリアーノさんはそんなウトロで住民たちがそこにとどまり続けるために闘っている姿を見て、「私たちの難民キャンプで難民一世、二世の女性たちが闘っているのと同じだ」と言いました。「東アジアの地で、私たちと同じ闘いを闘っている者たちがいるということは、私たちを勇気づけ、励ましてくれます」と。

私たちができること。そのもう一つは、私たちは私たちで、この日本の、今に続く植民地主義と闘うということです。

日本にもレイシズム、ヘイトがあります。ハマース=テロリストであると見なすことと、朝鮮学校を敵視するというのはまさに同じ構造です。私たちが私たちの闘いをしっかりと闘うことも、パレスチナと連帯することにつながります。

質問：無関心な人に対しては、どう働きかければいいでしょうか？

今、この状況において、と問題を限定するならば、とりあえず、関心を持ってくれそうな人たちから、まず、働きかけていくほうがいいと思います。

この状況で無関心な人たちがいるのは辛いです。辛いけれども、関心のない人に関心をもってもらうのは、この攻撃が終わってからでいい。今はとにかく、一刻でもはやく停戦を実現するために、時間や体力などもてる資源をすべて有効に傾注すべきです。その限られた資源は、関心があるけれど、何をしたらいいか分からない人、どこにどう繋がったらいいか分からない人、そういう分かってくれそうな人に向けていくのがいいと思います。

質問：専門家でもない自分が、パレスチナで起きていることについて語ったりしてもよいのでしょうか。その際、気をつけるべきことは何でしょうか。

私も最初、何も知らなかったです。

中学、高校の時からホロコーストに関心があって、大学ではアラビア語学科に入ったのですが、「ユダヤ人はホロコーストを生き延びて、せっかくパレスチナに自分たちの国を創ったのに、アラブ人がユダヤ人憎しで攻撃してくる」、というような、シオニズムの視点から問題を見ていました。それで、先ほど講演の中でもご紹介したパレスチナ人作家ガッサーン・カナファーニーの作品に出会い、パレスチナのことを知り、より深く学ぶようになりました。

パレスチナを通して、私は日本の植民地主義の問題に出会いました。日本人の家庭で普通に勉強して大学まで行って、植民地支配のことは歴史の授業で習ってはいたけれども、それが一体何を意味するかなんて、全然理解していなかった。パレスチナと出会って、私は初めて、朝鮮植民地支配の問題、在日の問題、沖縄の問題、アイヌモシリの問題などを知ったんです。

最初は誰も知らないです。だから少しずつ、学んでいくということを継続していけばいいのだと思います。

でも、非常に難しいですよね。さっき言ったように、イスラエルは公共外交で、いろんなフェイクニュース、対抗情報を流しています。そうすると「こっちはこう言っている、あっちはこう言っている。でも、自分にはどっちが正しいか判断できない。だから何も言わないでおこう、間違ったことを言いたくないから」となってしまう。イスラエルとしてはそれでいいんです。パレスチナ側に立つ発言をさせなければ、それで成功なんです。

だから、やっぱり調べることです。分からなかったら、いつでも聞いてください。

質問：アメリカは、イスラエルがこれほどの攻撃を続けても、なぜイスラエルを支援するのでしょうか？

イスラエルという国を支え、経済援助をしているのはアメリカです。たぶん多くの方が、アメリカはなぜ、これほどイスラエルの支援をするんだろうと、思われると思います。昔はこれほどではなかったです。

アメリカの対外援助はイスラエルがすごく多いのですが、その次はエジプトです。イスラエルとエジプトでアメリカの対外援助の半分を占めている。なぜエジプトかというと、エジプトがこの場所にあり、イスラエルと同盟しているからです。それが三十年に及ぶエジプトのムバーラクの独裁を支えてきました。

普通はお金を出すスポンサーの方が強いですよね。スポンサーがだめだと言ったら、もうそれ以上は動けないはずです。ある時までは、アメリカとイスラエルの関係もそうでした。ところが、アメリカにおける親イスラエルの政治団体（いわゆるイスラエル・ロビー）がアメリカの国内政治において非常に大きな力を持つようになってきました。

余談ですが、こういった時に「ユダヤ・ロビー」という言葉は使わないようにしましょう。なぜなら、この十月にアメリカの議会施設占拠を呼びかけた団体「平和のためのユダヤ人の声（Jewish Voice for Peace）」のように、反シオニズムのユダヤ人も大勢いて、彼らもロビー活動をしているからです。ただ、そういう左派の人たちはお金がない。人口的には半々くらいだけれども、イスラエルを支援するユダヤ人やクリスチャンは、すごく資本を持っています。ある時期から、この人たちを敵に回したら、選挙で「当選できない」状況が作られていきました。

例えばオバマ大統領が民主党で大統領候補に選出された時の第一声が、「私はイスラエルの生存権を支持します」でした。そう語ることによって、私はイスラエルの味方ですと宣言しているのです。そうすると、親イスラエル、親シオニズムの団体から多額の献金がある。

二〇一四年のイスラエルによるガザ攻撃の時、世界中がそれに反対していました。でも、その中でアメリカの上院は、今回と同じように、イスラエルに対する追加の武器供与の支援を決めたんです。しかも全会一致でした。誰一人反対しない。誰か一人ぐらい反対したっていいはずなのに。急進左派と言われるバーニー・サンダースも賛成票を投じている。

そこで反対したら、次の選挙で応援してもらえずに落選するからです。すべては国内の選挙戦の延長なんですね。同じ二〇一四年、ニューヨークの市議会選挙では、イスラエルのガザ攻撃が続く中、立候補している人たちが、私たちはイスラエルを支持しますという集会を開きました。

日本で言えば、選挙で勝つために、「どぶ板選挙」といって家一軒一軒を回って、頭を下げて握手する、ということをやりますよね。アメリカの選挙でもお金がないと、ボランティアが一軒一軒電話をかける、というようなことをします。でも、親イスラエル団体を味方につければ、お金も集まって効果的に選挙戦が展開できる。彼らを敵に回すと、大統領にはなれないし、上院議員にもなれない、という構造ができてしまっているのです。それが一つの、大きな理由です。

だから私は、シオニズムの攻撃で殺されているパレスチナ人は、もちろん本当に痛ましいのですが、もう誰も止める者がいなくなってしまって、まさにヒューマニティを自ら手放すようなことを、イスラエルの多くの人たちがやっている。他人の痛みというものが分からない状況になってしまっている。そのこともすごく悲しいです。誰か止めてあげて、この人たちにもう、これ以上罪を犯させないで、と思います。

質問：ＢＤＳ運動について詳しく教えてください。

ありがとうございます。ＢＤＳとは、イスラエルに対する、ボイコット（Boycott）、投資引き上げ（Divestment）、経済制裁（Sanctions）のことです。

これは第二次インティファーダの時に、占領下のパレスチナの市民たちが立ち上げた草の根運動で、南アフリカのアパルトヘイト廃絶を求めて世界が行った運動をモデルにしています。

これは実効性がある運動です。アメリカではいくつかの都市や州で、ＢＤＳは違法であるという法案が可決され、条例ができたりしています。ヨーロッパでも五年ほど前にドイツの連邦議会がＢＤＳを違法化しています。イスラエルは、ＢＤＳを主張する、訴える、唱導する、そういう団体、個人の入国を拒否しています。

このように、今、世界の政府を見ると、ものすごく反動化していますが、逆に、その中で市民がＢＤＳを頑張っている。

私はＢＤＳをどんどんすべきだと思います。

先ほど「無関心な人にはどうしたらいいか」というご質問がありましたが、イスラエルのユダヤ系市民の多くは、別にパレスチナ人がどんなに苦しんでいても関心はない、自分たちがつつがなく生活できていればそれでいいという、非政治的な人たちだったりします。

だけど、例えば今のイスラエルのアパルトヘイト体制に反対の声を上げなければ自分にも関わってくる、例えば研究者であれば国際学会に出られない、スポーツ選手であれば国際試合に出られないとか、そうなったら関心を持ち、声を上げるようになるのではないか。だから、ＢＤＳを、効果的な形でやっていけたらいいと思います。日本にもBDS Japan BulletinをはじめBDS TokyoやＢＤＳ関西などの団体が活動を行っています。

＊　＊　＊

（入管問題に取り組んでいるという参加者からの発言を受けて）

ジョルジョ・アガンベンというイタリアの哲学者が、『ホモ・サケル　主権権力と剝き出しの生』（以文社、高桑和巳訳）という本を書いています。「ホモ・サケル」（homo sacer）とは、直訳すると「聖なる人間」です。古代ローマ法が定める特殊な罪人のことで、罪に問われることなく殺すことができ、また、その人が死んだからと言って、その死が聖なるものとは見なされない、そういう存在です。

アガンベンは、ホモ・サケルを「剝き出しの生」（la nuda vita）であると言っています。つまり、人間というのは本来、政治的な存在・主体であるけれども、ホモ・サケルはそうではなく、「ただ生きている」生き物、そういう存在に還元されてしまった「剝き出しの生」なのだと。アガンベンが例に出しているのは、絶滅収容所に入れられたユダヤ人です。彼らを殺したからといって、殺人者が罪に問われるわけではないという、そんな存在です。

ガザのパレスチナ人、ヨルダン川西岸のパレスチナ人、あるいは日本でいえば、入管の収容施設にいる外国人の被収容者の人たちも、剝き出しの生＝ホモ・サケルであると言えるでしょう。日本にやってきて正規の滞在の資格を持たないことで、法の裂け目に落ちてしまう、国家によって護られない存在。彼らが入管で置かれている状況と、イスラエルの占領下で自分を護ってくれる国がないパレスチナ人の現状は、まったく同じだと思います。

パレスチナのことを考えると、そういうものが全部繋がってきます。入管の問題を考えることもまた、パレスチナと連帯することになると思います。

もっと知るためのガイド
（書籍、映画・ドキュメンタリー、ニュース・情報サイト）

【書籍】（刊行年が新しいものから）

●パレスチナ問題全般を知る

ジェハド・アブサリムほか監修『ガザの光　炎の中から届く声』斎藤ラミスまや訳、明石書店、2024年

臼杵陽『日本人のための「中東」近現代史』角川ソフィア文庫、2024年

オメル・バルトフ『ホロコーストとジェノサイド　ガリツィアの記憶からパレスチナの語りへ』橋本伸也訳、岩波書店、2024年

錦田愛子『パレスチナ／イスラエルを読み解く』えにし書房、2024年

ヤコヴ・ラブキン『イスラエルとパレスチナ　ユダヤ教は植民地支配を拒絶する』鵜飼哲訳、岩波ブックレット、2024年

ジョー・サッコ『ガザ　欄外の声を求めて　FOOTNOTES IN GAZA』早尾貴紀訳、Type Slowly、2024年

岡真理・小山哲・藤原辰史『中学生から知りたいパレスチナのこと』ミシマ社、２０２４年
サラ・ロイ『なぜガザなのか　パレスチナの分断、孤立化、反開発』岡真理・小田切拓・早尾貴紀編訳、青土社、２０２４年
アーティフ・アブー・サイフ『ガザ日記　ジェノサイドの記録』中野真紀子訳、地平社、２０２４年
鈴木啓之／児玉恵美編著『パレスチナ／イスラエルの〈いま〉を知るための24章』、明石書店、２０２４年
宮田律『ガザ紛争の正体　暴走するイスラエル極右思想と修正シオニズム』平凡社新書、２０２４年
サラ・ロイ『ホロコーストからガザへ　パレスチナの政治経済学　新装版』岡真理・小田切拓・早尾貴紀編訳、青土社、２０２４年
高橋和夫『なぜガザは戦場になるのか　イスラエルとパレスチナ 攻防の裏側』ワニブックスPLUS新書、２０２４年
ラシード・ハーリディー『パレスチナ戦争　入植者植民地主義と抵抗の百年史』鈴木啓之・山本健介・金城美幸訳、法政大学出版局、２０２３年
鈴木啓之『蜂起〈インティファーダ〉　占領下のパレスチナ　１９６７―１９９３』東京大学出版会、２０２０年
山本健介『聖地の紛争とエルサレム問題の諸相　イスラエルの占領・併合政策とパレスチナ人』晃洋書房、２０２０年
南部真喜子『エルサレムのパレスチナ人社会　壁への落書きが映す日常』風響社、２０２０年

渡辺丘『パレスチナを生きる』朝日新聞出版、2019年
清田明宏『天井のない監獄　ガザの声を聴け！』集英社新書、2019年
高橋美香（文・写真）×皆川万葉（文）『パレスチナのちいさないとなみ　働いている、生きている』かもがわ出版、2019年
イラン・パペ『パレスチナの民族浄化　イスラエル建国の暴力』田浪亜央江・早尾貴紀訳、法政大学出版局、2017年
奈良本英佑『14歳からのパレスチナ問題』合同出版、2017年
高橋真樹『ぼくの村は壁で囲まれた　パレスチナに生きる子どもたち』現代書館、2017年
臼杵陽・鈴木啓之編著『パレスチナを知るための60章』明石書店、2016年
高橋宗瑠『パレスチナ人は苦しみ続ける　なぜ国連は解決できないのか』現代人文社、2015年
古居みずえ『パレスチナ　戦火の中の子どもたち』岩波ブックレット、2015年
ミシェル・ワルシャウスキー『国境にて　イスラエル／パレスチナの共生を求めて』脇浜義明訳、柘植書房新社、2014年
臼杵陽『世界史の中のパレスチナ問題』講談社現代新書、2013年
ジャン・ジュネ『シャティーラの四時間』鵜飼哲・梅木達郎訳、インスクリプト、2010年
イラン・パペ『イラン・パペ、パレスチナを語る　「民族浄化」から「橋渡しのナラティヴ」へ』ミーダーン

〈パレスチナ・対話のための広場〉訳、柘植書房新社、2008年
ジョー・サッコ『パレスチナ』小野耕世訳、いそっぷ社、2007年
奈良本英佑『パレスチナの歴史』明石書店、2005年
エドワード・W・サイード『パレスチナとは何か』島弘之訳、ジャン・モア写真、岩波現代文庫、2005年
ミシェル・ワルシャウスキー『イスラエル＝パレスチナ　民族共生国家への挑戦』加藤洋介訳、柘植書房新社、2003年
高橋和夫『アラブとイスラエル　パレスチナ問題の構図』講談社現代新書、1992年

●イスラエル、シオニズム、ユダヤ人の歴史を知る

ダニエル・ソカッチ『イスラエル　人類史上最もやっかいな問題』鬼澤忍訳、NHK出版、2023年
アラン・パジェス『ドレフュス事件　真実と伝説』吉田典子・高橋愛訳、法政大学出版局、2021年
鶴見太郎『イスラエルの起源　ロシア・ユダヤ人が作った国』講談社選書メチエ、2020年
フレデリック・アンセル『地図で見るイスラエルハンドブック』鳥取絹子訳、原書房、2020年
イラン・パペ『イスラエルに関する十の神話』脇浜義明訳、法政大学出版局、2018年
ベン・ホワイト『イスラエル内パレスチナ人　隔離・差別・民主主義』脇浜義明訳、法政大学出版局、2018年

シュロモー・サンド『ユダヤ人の起源　歴史はどのように創作されたのか』高橋武智監訳、佐々木康之・木村高子訳、ちくま学芸文庫、2017年

プリーモ・レーヴィ『改訂完全版 アウシュヴィッツは終わらない　これが人間か』竹山博英訳、朝日選書、2017年

トム・セゲフ『七番目の百万人 イスラエル人とホロコースト』脇浜義明訳、ミネルヴァ書房、2013年

ヤコヴ・M・ラブキン『イスラエルとは何か』菅野賢治訳、平凡社新書、2012年

野村真理『ホロコースト後のユダヤ人』世界思想社、2012年

鶴見太郎『ロシア・シオニズムの想像力　ユダヤ人・帝国・パレスチナ』東京大学出版会、2012年

テオドール・ヘルツル『ユダヤ人国家〈新装版〉　ユダヤ人問題の現代的解決の試み』佐藤康彦訳、法政大学出版局、2011年

ヤコブ・M・ラブキン『トーラーの名において　シオニズムに対するユダヤ教の抵抗の歴史』菅野賢治訳、平凡社、2010年

臼杵陽『イスラエル』岩波新書、2009年

ジョン・J・ミアシャイマー、スティーヴン・M・ウォルト『イスラエル・ロビーとアメリカの外交政策Ⅰ・Ⅱ』副島隆彦訳、講談社、2007年

ノーマン・G・フィンケルスタイン『ホロコースト産業　同胞の苦しみを「売り物」にするユダヤ人エリートたち』立木勝訳、三交社、2004年

レニ・ブレンナー『ファシズム時代のシオニズム』芝健介訳、法政大学出版局、2001年

●小説・ノンフィクション・エッセイ・絵本

ファーティマ・シャラフェッディーン『もしぼくが鳥だったら　パレスチナとガザのものがたり』片桐早織訳、ゆぎ書房、2025年

リファアト・アル＝アルイール編『私が死なねばならぬなら　21世紀パレスチナ短篇集』藤井光訳、河出書房新社、2024年

マラク・マタール『おばあちゃんの白い鳥　ガザのものがたり』さくまゆみこ訳、講談社、2024年

岡真理『ガザに地下鉄が走る日』みすず書房、2018年

ガッサーン・カナファーニー『ハイファに戻って／太陽の男たち』黒田寿郎・奴田原睦明訳、河出文庫、2017年

岡真理『アラブ、祈りとしての文学【新装版】』みすず書房、2015年

ナージー・アル・アリー『パレスチナに生まれて』露木美奈子訳・藤田進監修、いそっぷ社、2010年

マフムード・ダルウィーシュ『壁に描く』四方田犬彦訳、書肆山田、2006年

【映画・ドキュメンタリー】（製作年が新しいものから）　監督『作品名』（製作国）、製作年

土井敏邦『愛国の告白　沈黙を破る・Ｐａｒｔ２』（日本）、２０２２年

ガリー・キーン、アンドリュー・マコーネル『ガザ　素顔の日常』（アイルランド、カナダ、ドイツ）、２０１９年

サメフ・ゾアビ『テルアビブ・オン・ファイア』（ルクセンブルク、フランス、イスラエル、ベルギー）、２０１８年

フィリップ・グナート、ミッキー・ヤミネ『ガザ・サーフ・クラブ』（ドイツ）、２０１６年

ハニ・アブ・アサド『歌声にのった少年』（パレスチナ）、２０１５年

タルザン&アラブ・ナサール『ガザの美容室』（パレスチナ、フランス、カタール）、２０１５年

ハニ・アブ・アサド『オマールの壁』（パレスチナ）、２０１３年

ロレーヌ・レヴィ『もうひとりの息子』（フランス）、２０１２年

イマード・ブルナート、ガイ・ダビディ『壊された５つのカメラ　パレスチナ・ビリンの叫び』（パレスチナ、イスラエル、フランス、オランダ）、２０１１年

土井敏邦『沈黙を破る』（日本）、２００９年

ジャッキー・リーム・サッローム『自由と壁とヒップホップ』（パレスチナ、アメリカ）、２００８年

ハニ・アブ・アサド『パラダイス・ナウ』（フランス、ドイツ、オランダ、パレスチナ）、２００５年

古居みずえ『ガーダ　パレスチナの詩』（日本）、２００５年

エラン・リクリス『シリアの花嫁』(イスラエル、フランス、ドイツ)、2004年
ミシェル・クレイフィ、エイアル・シヴァン『ルート181』(フランス、ベルギー、ドイツ、イギリス)、2003年
ジュリアーノ・メル＝ハミース『アルナの子どもたち』(イスラエル、パレスチナ)、2003年
エリア・スレイマン『D.I.』(フランス、パレスチナ)、2002年
ジャスティーン・シャピロ、B・Z・ゴールドバーグ、カルロス・ボラド『プロミス』(アメリカ)、2001年
ミシェル・クレイフィ『三つの宝石の物語』(パレスチナ)、1994年
ミシェル・クレイフィ『ガリレアの婚礼』(フランス、ベルギー)、1987年
ミシェル・クレイフィ『豊穣な記憶』(パレスチナ、ベルギー)、1980年
ジッロ・ポンテコルヴォ『アルジェの戦い』(イタリア、アルジェリア)、1966年
デヴィッド・リーン『アラビアのロレンス』(イギリス)、1962年
アジアンドキュメンタリーズ配信のドキュメンタリー(『ガザ　自由への闘い』など)

【ニュース・情報サイト】

"Mondoweiss" https://mondoweiss.net/

"IMEU（Institute for Middle East Understanding）" https://imeu.org/

"The Electronic Intifada" https://electronicintifada.net/

"Democracy Now!" https://democracynow.jp/

"The Palestine Chronicle" https://www.palestinechronicle.com/

"+972 Magazine" https://www.972mag.com/

Amnesty International "Israel's apartheid against Palestinians" https://www.amnesty.org/en/documents/mde15/5141/2022/en/

Human Rights Watch "A Threshold Crossed" https://www.hrw.org/report/2021/04/27/threshold-crossed/israeli-authorities-and-crimes-apartheid-and-persecution

本書は、下記の講演をもとに編集、再構成したものです。

二〇二三年十月二十日「緊急学習会　ガザとは何か」於　京都大学

同十月二十三日「ガザを知る緊急セミナー　人間の恥としての」於　早稲田大学

岡 真理（おか・まり）

早稲田大学文学学術院教授、京都大学名誉教授。1960年生まれ。東京外国語大学アラビア語科卒、同大学大学院修士課程修了。在学時代、パレスチナ人作家ガッサーン・カナファーニーの小説を通してパレスチナ問題、アラブ文学と出会う。エジプト・カイロ大学に留学、在モロッコ日本国大使館専門調査員、京都大学大学院人間・環境学研究科教授を経て現職。専門は現代アラブ文学、パレスチナ問題。著書に『棗椰子の木陰で　第三世界フェミニズムと文学の力』（青土社、初版2006年、新装版2022年刊）、『アラブ、祈りとしての文学』（みすず書房、初版2008年、新装版2015年刊）、『ガザに地下鉄が走る日』（みすず書房、2018年）ほか。

ガザとは何か（なに）

パレスチナを知る（し）ための緊急講義（きんきゅうこうぎ）

2023年12月31日　第1刷発行
2024年11月 5 日　第6刷発行

著　者　岡　真理（おか まり）
発行者　佐藤　靖
発行所　大和書房（だいわ）
東京都文京区関口1-33-4
電話　03-3203-4511

協力　緊急学習会 ガザとはなにか 実行委員会
〈パレスチナ〉を生きる人々を想う学生若者有志の会
インディペンデント・ウェブ・ジャーナル（IWJ）
ブックデザイン　二ノ宮匡（nixinc）
スピーチ翻訳　Saku Yanagawa
地図・図版作成　朝日メディアインターナショナル
校正　円水社
編集　出来幸介
本文印刷　厚徳社
カバー印刷　歩プロセス
製本所　小泉製本

ISBN978-4-479-39420-4

乱丁・落丁本はお取り替えいたします。
https://www.daiwashobo.co.jp